Ternura

LITERATURA

© 1989, GABRIELA MISTRAL
Inscripción Nº 72.990, Santiago de Chile.

Derechos de edición reservados para todos los países por
© EDITORIAL UNIVERSITARIA, S.A.
María Luisa Santander 0447.

www.editor@universitaria.cl

ISBN 956-11-1710-X

Se terminó de imprimir esta
SEXTA EDICIÓN
de 2.000 ejemplares,
en los talleres de Imprenta Salesianos S.A.,
General Gana 1486, Santiago de Chile,
en mayo de 2004.

www.universitaria.cl

IMPRESO EN CHILE / PRINTED IN CHILE

Gabriela Mistral

Ternura

Prólogo por
Jaime Quezada

EDITORIAL UNIVERSITARIA

A la memoria de mi madre
y a mi hermana Emelina.

Í N D I C E

PRÓLOGO

I

De un coloquio diurno y nocturno de la madre con su alma, con su hijo, y con la tierra visible de día y audible de noche, viene, en gran parte, el origen de *Ternura*: canciones de cuna, rondas, jugarretas, cuenta-mundo. Arrullos con largas pausas para cantar a la liebre rojiza o a la vizcacha parda. Arrorrós que rescatan lo más genuino y tradicional del folclore infantil chileno, latinoamericano, español viejo.

Se ha creído, equivocadamente, que *Ternura* sea un libro menor o de intenciones meramente pueriles en la obra toda de Gabriela Mistral (1889-1957). Sin embargo, ni por su título ni por su contenido, este libro —librito, dicen algunos para marcar lo peyorativo— está lejos de cumplir, a página cabal, con una "empalagosa o catequística pedagogía". Más bien se escribió originalmente como una reacción a la poesía escolar en boga en aquella época (década de los años veinte) y que en nada satisfacía a nuestra autora: *He querido hacer una poesía escolar nueva, porque la que hay en boga no me satisface; una poesía escolar que no por ser escolar deje de ser poesía, que lo sea, y más delicada que cualquiera otra, más honda, más impregnada de cosas de corazón: más*

11

estremecida de soplo de alma[1]. Escolar, reconoce ella en estas frases epistolares de 1915. Y eso será efectivamente la obra en sus comienzos —canciones de niños—, y que luego irá nutriéndose de otros temas humanos, geográficos y desvariadores notables.

Es cierto que muchos de estos poemas se escribieron a pedido de editores o antologadores de textos escolares y que, en definitiva, bien poco o casi nada contribuirán al buen conocimiento de su obra. Gabriela Mistral era, por lo mismo, enemiga de niñeces o niñerías de poesía o cuento infantil, de balbuceo primario más que elemental, de más chiste que de gracia. Prefiere el verso que tenga el ritmo y la tradición de lo vernacular y lo clásico a la manera de una seguidilla o romancillo: *En la poesía popular española, en la provenzal, en la italiana del medioevo, creo haber encontrado el material más genuinamente infantil de Rondas que yo conozca. El propio folclore adulto de esas mismas regiones está lleno de piezas válidas para los niños. Hurgando en eso cuanto me era dable hurgar, supe yo, artesana ardiente pero fallida, que me faltaban en sentidos, y en entraña, siete siglos de Edad Media criolla, de tránsito moroso y madurador, para ser capaz de dar una docena de "arrullos" y de "rondas" castizos —léase criollos*[2]. Así sea también la fábula que ella mucho amaba. Pero la fábula pura, *ese viejo licor que ya no se hace ni para los niños ni para los hombres*, y no las tradicionales a La Fontaine —*La cigarra y la hormiga, El cordero y el lobo*— que Gabriela Mistral consideraba como malas y odiosas: *Una moral para niños a base de astucia me parece perversa y, cuando menos, sin atractivo para nuestra raza generosa*[3].

Ternura es, paradojalmente, un libro siempre nuevo y casi inédito. El pulso vivo de una Gabriela Mistral con su aliento, su sentido y su cuerpo late, por mañas o por magias, en esta poesía. Libro de fundamento en el andar lugares y recorrer territorios (*Estoy en donde no estoy*, dice en el primer verso de *Niño mexicano*); en el goce maravillador de olores, sabores y colores (*Ronda de los aromas*, por ejemplo); en el nombrar frutos y animales en sus zoologías y botánicas permanentes (desde *La rata que corrió a un venado* a la fábula-cuento *La Madre Granada*). Y, sobre todo, en el descubrir poema tras poema, los temas siempre perdurables de la obra mistraliana: la tierra, la naturaleza geográfica y humana, las materias. Sólo que aquí el niño (niño de aldea, niño campesino, niño indio) es, de veras, un personaje: *Me encontré este niño / cuando al campo iba* (*Hallazgo*); *Duerme, huesito de cereza, / y bocadito de chañar* (*Semilla*); *Niño indio, si estás cansado, / tú te acuestas sobre la Tierra* (*La Tierra*). Y ella, la Mistral (la Sara vieja del poema *Pan* en *Tala*), una mujer que ha recogido en su mirada todos los valles y el alfabeto de los sonidos de esos valles. También sus sueños y sorpresas, sus miedos y desvaríos, sus albricias y sus hallazgos. Mucho de lo que fue

13

y quiso ser su infancia, pero no de una manera ingenua de hacer autobiografía: Gabriela Mistral recrea, a su gusto y a su antojo —desvariadoramente—, su mundo de realidades y encantamientos.

II

Ternura se publica por primera vez en Madrid el año 1924 (Editorial Saturnino Calleja). Llevaba, entonces, un subtítulo de *Canciones de niños* para remarcar, tal vez, el carácter y las intencionalidades de las *Rondas, Canciones de la tierra, Estaciones, Religiosas, Canciones de cuna* que dividían seccionalmente el libro. Una veintena de poemas —*Piececitos, El Himno cotidiano, Obrerito*, entre varios otros— habían aparecido un par de años antes en *Desolación* (1922). También otras varias canciones de cuna y cuenta-mundo se reeditarán en la edición primera de *Tala* (1938). Sólo en 1945, al publicarse en Buenos Aires la segunda edición de *Ternura* (Ed. Espasa-Calpe Argentina) las *Canciones de niños* pasarán a ser *Casi escolares*, reordenándose el libro en nuevas secciones, proyectadas desde y para un sujeto-lector más amplio y total.

De esta manera, *Ternura* fue para Gabriela Mistral un libro, sin duda, muy querido, y que anduvo siempre formando parte de toda su obra. Ninguno de sus libros fundamentales, de *Desolación* a *Lagar*

14

(1954) y de *Tala* a *Poema de Chile* (1967) están exentos de varios poemas que son las jugarretas y las ternuras mismas. Ella misma confesaba: *Entre todos mis trabajos, el que prefiero es una pequeña canción de cuna que escribí con el título de "La pajita". Debe ser porque yo siento un profundo afecto por esta clase de poesía*[4]. Afecto que viene en los afanes de averiguar y de conocerse las tradiciones de nuestras hablas autóctonas y nacionales. Al explicar, de viva voz, uno de sus poemas, la autora de *Ternura* entrega en un par de líneas las claves y fundamentos de esta nada de menuda obra: *Voy a decirles esa pequeña poesía que habla de la viga en el ojito del niño. Se llama "La pajita". Y está escrita en la lengua folclórica de nuestro pueblo chileno que cuenta de una curiosa manera*, diciendo: "esta que" o "este que"...[5].

En muchas de estas jugarretas, rondas y cuentamundo está presente el característico verbo mistraliano (*aupar, repechar, voltear, revolar*) o su vivificador léxico valle elquino adentro (*agriura, almud, sollamadura*). Lenguaje y tono conversacional que le viene de sus reiteradas lecturas del Viejo Testamento y de sus gentes mismas de su Montegrande; de infancia a edad madura, de memoria a oído atento: *Bendita mi lengua sea / y mi pecho y mi respiro*[6]. Igual cosa ocurre con los frutos y los paisajes que van y vienen por estos poemas. La poesía de *Ternura* revela, sin duda, la esencialidad primera, original de la obra posterior de una Mistral que bebe la sed de sorbos grandes.

Ternura es un valioso antecedente de algunos de los mejores y ya clásicos poemas de Gabriela Mistral. Las materias, por ejemplo, que tan fundamentales van a ser en *Tala* —el aire y la luz, el agua y la sal—, son ya elementos esenciales y reiterativos en esta poesía primera de la autora. El agua adquiere en *Ternura* la unción de santa y de amante (poema *El agua*, de Cuenta-mundo). Y la sal, a su vez, será un conjuro y un rito (*Canción de la muerte*) con mucho de sabiduría popular y de supersticioso mito folclórico: Poema tan mítico como existencial, tan lleno de elementales materias: sales, harinas, leches, arenas, y que tanta significación alcanzarán después en formidables poemas de *Tala* o en hermosos textos en prosa. Resulta curioso y contradictorio (y en este caso premonitorio: la muerte de su sobrino Juan Miguel años después) que la muerte aparezca aquí nada menos que a semejanza de una canción de cuna: ...*la mañosa Muerte, / cuando vaya de camino, / mi niño no encuentre*. Así, entre bendiciones y muerte hay una necesidad de permanencia que supera lo meramente infantil.

Importa también el gesto, el ánimo, el habla en cada uno de estos actos fundacionales. Si *Beber*, por ejemplo, se llama un poema de *Tala*, que se refiere a cuatro sorbos o gestos de beber el agua; en su cuenta-mundo (*Ternura*) ese inmenso afán de bebedura es un goce y un deleite, un acercamiento a la naturaleza y la vida: *Bebe la Sed de sorbos grandes*[7]. Por otra parte, la

16

raíz del pensamiento y de la conciencia social e indigenista de Gabriela Mistral se va poéticamente desarrollando en *Ternura* hasta alcanzar su proyección mayor en sus trabajos futuros. El poema *La casa* (que tiene su historia y su anécdota con el pan, el indio quechua, el hambre) dará origen a *Pan*, aquel largo, ritual y simbólico poema de las materias de *Tala*. A su vez, *Himnos americanos*, de este último libro, tiene su antecedente en poemas de *Ternura* que cantan al maíz, a los frutos americanos, a la tierra. En *Ternura* están también los primeros hallazgos de lo que será después lo más notable de *Lagar*: los desvaríos y las Locas mujeres. *La Desviadora* se llama precisamente una sección que habla de la madre-niña, de los encargos y de los miedos. Y las *mujeres locas / no griten y sepan* de los versos de *Ternura* serán las futuras ansiosas, fervorosas y piadosas de las Locas mujeres de *Lagar*.

III

Ternura viene a ser, tal vez, para Gabriela Mistral el libro que ella misma no tuvo en su infancia, porque vino a tener de adulta las fábulas que se oyen a los siete años, *y hasta la vejez dura y perdura en mí el gusto del cuento pueril y del pintarrajeado de imágenes y me los leo con la avidez de todos aquellos que llegaron tarde a sentarse a la*

17

mesa y por eso comen y beben desaforadamente[8]. Mucho de su andar países y geografías lleva también este libro. Desde la Patagonia chilena a la meseta mexicana o el mar de las Antillas. El arrullo patagón y el arrorró elquino, la ronda de la ceiba ecuatoriana y la cajita de madera olorosa de Olinalá. La adultez y la infancia de una Mistral que anduvo, con su ritmo y su ronda y su corro desde muy niña tocando las cosas primeras: las gredas, la piedra porosa, la almendra velluda. Es decir, sus *albricias*.

Tan intensa va a ser, para Gabriela Mistral, la poca mañana o la poca tarde feliz de sus jugarretas y sus hallazgos en las niñeces de su valle de Elqui, que ella confesará sin rubor ni arrepentimiento: *Puedo corregir en mi seso y en mi lengua lo aprendido en las edades feas —adolescencia, juventud, madurez— pero no puedo mudar de raíz las expresiones recibidas en la infancia*[9]. No es, pues, *Ternura* un libro ingenuamente infantil. Los metales de sus cerros de Montegrande están yacentes en esta poesía valiosísima de tema, de tratamiento del decir poético, del rescate arrullador de la infancia y de acercamiento a los hombres y al mundo. Por alguna razón está aquí su *Ronda de la paz*, ella que fue siempre pacifista de todos los buenos días. Y el *Dame la mano* es, efectivamente, una ronda de humanidad. Ella misma vendría a saber con el correr del tiempo que *todos los hombres son desgraciados y necesitan siempre una canción de cuna para que* apacigüe su corazón[10].

18

Y todavía más. Hablando, a veces, de los más diversos temas, Gabriela Mistral dejará testimonio de estos afanes reveladores de *Ternura*: *Cuando he escrito una ronda infantil, mi día ha sido verdaderamente bañado de Gracia, mi respiración como más rítmica y mi cara ha recuperado la risa perdida en trabajos desgraciados. Tal vez el esfuerzo fuese el mismo que se puso en escribir una composición de otro tema, pero algo, que insisto en llamar "sobrenatural", lavaba mis sentidos y refrescaba mi carne vieja*[11].

El lector chileno tiene por primera vez *Ternura* en sus manos. Nunca antes se había editado en la patria de Gabriela Mistral. Libro de buen decir para buen leer, y tan lleno de bendiciones.

JAIME QUEZADA

Isla Teja (Valdivia), otoño, 1989

N o t a s a l P r ó l o g o

(1) Gabriela Mistral: Carta a Eugenio Labarca. *Anales de la Universidad de Chile*, Santiago, Segundo Trimestre de 1957, N° 106, pp. 270 (introducción y notas de Raúl Silva Castro).

(2) Gabriela Mistral: *Colofón con cara de excusa*. Texto escrito a pedido del editor argentino de la segunda edición de *Ternura* (Editora Espasa-Calpe, Buenos Aires, 1945).

(3) Gabriela Mistral: *Libros escolares complementarios*. Diario *El Mercurio*, Santiago, 3 de junio de 1928, p. 4.

(4) *Entrevista póstuma a Gabriela Mistral*, prólogo de Alfonso Calderón a la *Antología poética de Gabriela Mistral*. Editorial Universitaria, Santiago, 1974, p. 23.

(5) Lectura pública de Gabriela Mistral en Santiago de Chile, Teatro Caupolicán, mayo de 1938. Versión directa de la cinta magnetofónica.

(6) Gabriela Mistral: *Bendiciones*, poema de la sección *La Desvariadora* de *Ternura*.

(7) Gabriela Mistral: *El Agua*, poema de la sección *Cuentamundo (Ternura)*. •

(8) Gabriela Mistral: *¿Qué es una biblioteca?* en *Repertorio Americano*, San José, Costa Rica, 10 de mayo, 1950.

(9) Gabriela Mistral: *Albricias* en la sección Notas de *Tala* (Buenos Aires, 1938, p. 279).

(10) Gabriela Mistral: *Evocación de la madre*. Texto recogido por José Pereira Rodríguez en *Páginas en prosa* (Editorial Kapelusz, Buenos Aires, 1965, p. 42). En este mismo Recado Gabriela Mistral también dice: *De las enseñanzas que me diste, una se adentró muy hondo: la de devolver. Así, madre, yo he hecho las canciones de cuna tuyas y ninguna otra cosa más quisiera hacer.*

(11) Gabriela Mistral: *Una nueva organización del trabajo*, publicado en *El Mercurio*, Santiago, 19 de junio de 1927, p. 3.

I

CANCIONES DE CUNA[1]

MECIENDO

El mar sus millares de olas
mece, divino.
Oyendo a los mares amantes,
mezo a mi niño.

El viento errabundo en la noche
mece los trigos.
Oyendo a los vientos amantes,
mezo a mi niño.

Dios Padre sus miles de mundos
mece sin ruido.
Sintiendo su mano en la sombra
mezo a mi niño.

LA TIERRA Y LA MUJER

A Amira de la Rosa.

Mientras tiene luz el mundo
y despierto está mi niño,
por encima de su cara,
todo es un hacerse guiños.

Guiños le hace alameda
con sus dedos amarillos,
y tras de ella vienen nubes
en piruetas de cabritos…

La cigarra, al mediodía,
con el frote le hace guiño,
y la maña de la brisa
guiña con su pañalito.

Al venir la noche hace
guiño socarrón el grillo,
y en saliendo las estrellas,
me le harán sus santos guiños…

Yo le digo a la otra Madre,
a la llena de caminos:
—"¡Haz que duerma tu pequeño
para que se duerma el mío!"

Y la muy consentidora,
la rayada de caminos,
me contesta: —"Duerme al tuyo
para que se duerma el mío."

Hallazgo

Me encontré a este niño
cuando al campo iba:
dormido lo he hallado
en unas espigas…

O tal vez ha sido
cruzando la viña:
buscando los pámpanos
topé su mejilla…

Y por eso temo,
al quedar dormida,
se evapore como
la helada en las viñas…

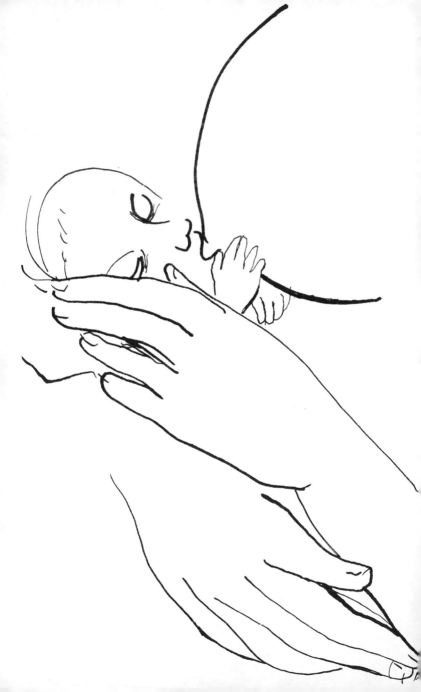

Rocío

Ésta era una rosa
que abaja el rocío:
éste era mi pecho
con el hijo mío.

Junta sus hojitas
para sostenerlo
y esquiva los vientos
por no desprenderlo.

Porque él ha bajado
desde el cielo inmenso
será que ella tiene
su aliento suspenso.

De dicha se queda
callada, callada:
no hay rosa entre rosas
tan maravillada.

Ésta era una rosa
que abaja el rocío:
éste era mi pecho
con el hijo mío.

CORDERITO

Corderito mío,
suavidad callada:
mi pecho es tu gruta
de musgo afelpada.

Carnecita blanca,
tajada de luna:
lo he olvidado todo
por hacerme cuna.

Me olvidé del mundo
y de mí no siento
más que el pecho vivo
con que te sustento.

Yo sé de mí solo
que en mí te recuestas.
Tu fiesta, hijo mío,
apagó las fiestas.

ENCANTAMIENTO

Este niño es un encanto
parecido al fino viento:
si dormido lo amamanto,
que me bebe yo no siento.

Es más travieso que el río
y más suave que la loma:
es mejor el hijo mío
que este mundo al que se asoma.

Es más rico, más, mi niño
que la tierra y que los cielos:
en mi pecho tiene armiño
y en mi canto terciopelos...

Y es su cuerpo tan pequeño
como el grano de mi trigo;
menos pesa que su sueño;
no se ve y está conmigo.

SUAVIDADES

Cuando yo te estoy cantando,
en la Tierra acaba el mal:
todo es dulce por tus sienes:
la barranca, el espinar.

Cuando yo te estoy cantando,
se me acaba la crueldad:
suaves son, como tus párpados,
¡la leona y el chacal!

Yo no tengo soledad

Es la noche desamparo
de las sierras hasta el mar.
Pero yo, la que te mece,
¡yo no tengo soledad!

Es el cielo desamparo
si la luna cae al mar.
Pero yo, la que te estrecha,
¡yo no tengo soledad!

Es el mundo desamparo
y la carne triste va
Pero yo, la que te oprime,
¡yo no tengo soledad!

Apegado a mí

Velloncito de mi carne,
que en mi entraña yo tejí,
velloncito friolento,
¡duérmete apegado a mí!

La perdiz duerme en el trébol
escuchándole latir:
no te turben mis alientos,
¡duérmete apegado a mí!

Hierbecita temblorosa
asombrada de vivir,
no te sueltes de mi pecho:
¡duérmete apegado a mí!

Yo que todo lo he perdido
ahora tiemblo de dormir.
No resbales de mi brazo:
¡duérmete apegado a mí!

LA NOCHE

Porque duermas, hijo mío,
el ocaso no arde más:
no hay más brillo que el rocío,
más blancura que mi faz.

Porque duermas, hijo mío,
el camino enmudeció:
nadie gime sino el río;
nada existe sino yo.

Se anegó de niebla el llano.
Se encogió el suspiro azul.
Se ha posado como mano
sobre el mundo la quietud.

Yo no sólo fui meciendo
a mi niño en mi cantar:
a la Tierra iba durmiendo
al vaivén del acunar...

ME TUVISTE

Duérmete, mi niño,
duérmete sonriendo,
que es la ronda de astros
quien te va meciendo.

Gozaste la luz
y fuiste feliz.
Todo bien tuviste
al tenerme a mí.

Duérmete, mi niño,
duérmete sonriendo,
que es la Tierra amante
quien te va meciendo.

Miraste la ardiente
rosa carmesí.
Estrechaste al mundo:
me estrechaste a mí.

Duérmete, mi niño,
duérmete sonriendo,
que es Dios en la sombra
el que va meciendo.

DORMIDA

Meciendo mi carne,
meciendo a mi hijo,
voy moliendo el mundo
con mis pulsos vivos.

El mundo, de brazos
de mujer molido,
se me va volviendo
vaho blanquecino.

El bulto del mundo,
por vigas y vidrios,
entra hasta mi cuarto,
cubre madre y niño.

Son todos los cerros
y todos los ríos,
todo lo creado,
todo lo nacido...

Yo mezo, yo mezo
y veo perdido
cuerpo que me dieron,
lleno de sentidos.

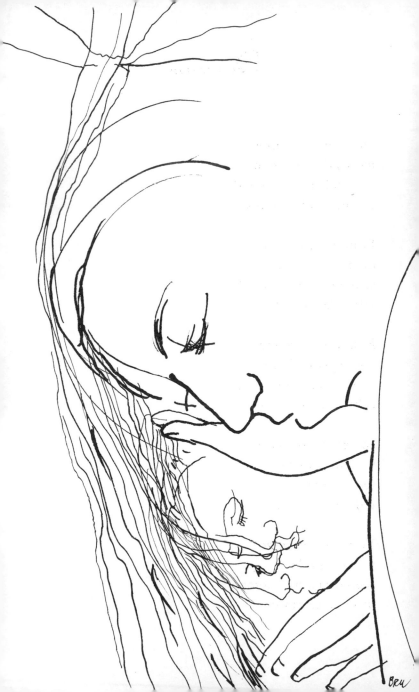

Ahora no veo
ni cuna ni niño,
y el mundo me tengo
por desvanecido...

¡Grito a Quien me ha dado
el mundo y el hijo,
y despierto entonces
de mi propio grito!

Con tal que duermas

La rosa colorada
cogida ayer;
el fuego y la canela
que llaman clavel;

el pan horneado
de anís con miel,
y el pez de la redoma
que la hace arder:

todito tuyo,
hijito de mujer,
con tal que quieras
dormirte de una vez.

La rosa, digo:
digo el clavel.
La fruta, digo,
y digo que la miel;

y el pez de luces
y más y más también,
¡con tal que duermas
hasta el amanecer!

ARRORRÓ ELQUINO[2]

A Isolina Barraza de Estay.

En la falda yo me tengo
una cosa de pasmar:
niña de algodón en rama,
copo de desbaratar,
cabellitos de vilanos
y bracitos sin cuajar.

Vienen gentes de Paihuano
y el "mismísimo" Coguaz*
por llevarse novedades
en su lengua lenguaraz.

Y no tiene todavía
la que llegan a buscar
ni bautismo que le valga
ni su nombre de vocear.

Tanta gente y caballada
en el patio y el corral
por un bulto con un llanto,
y una faja, y un puñal.

*Aldea en la Cordillera, donde termina el valle de Elqui (nota de la autora).

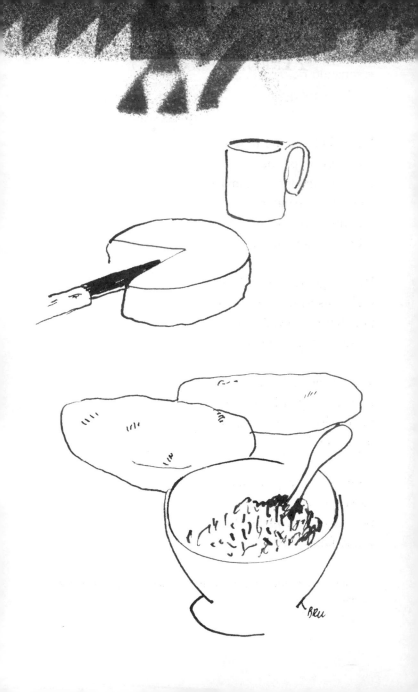

Elquinada novedosa,
resonando de metal;
que se sienten en redondo
como en era de trillar.

Que la miren embobados,
—ojos vienen y ojos van—
y le pongan en hileras
pasas, queso, uvate*, sal.

Y después que la respiren
y la toquen como el pan,
que se vuelvan y nos dejen
en "compaña" y soledad.

Con las lunas de milagro,
con los cerros de metal,
con las luces, y las sombras,
y las nieblas de soñar.

Me la tengo todavía
siete años de encañar.
¡Madre mía, me la tengo
de tornearla y rematar!

*Dulce o confitura hecho con el hollejo de la uva (nota de la autora).

¡Ah!, ¡ah!, ¡ah!,
¡viejo torno de girar!
¡Siete años todavía
gira, gira y girarás!

Dos canciones del zodiaco

CANCIÓN DE VIRGO

Un niño tuve al pecho
como una codorniz.
Me adormecí una noche;
no supe más de mí.
Resbaló de mi brazo;
rodó, lo perdí.

Era el niño de Virgo
y del cielo feliz.
Ahora será el hijo
de Luz o Abigail.

Tenía siete cielos;
ahora sólo un país.
Servía al Dios eterno,
ahora a un Kadí.

Sed y hambres no sabía
su boca de jazmín;
ni sabía su muerte.
¡Ahora sí, ahora sí!

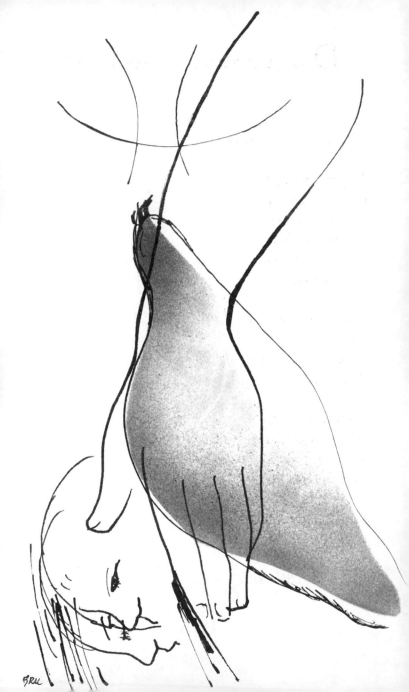

Lo busco caminando
del Cenit al Nadir,
y no duermo, y me pesa
la noche en que dormí.

Me dieron a los Gémines;
yo no los recibí.
Pregunto, y ando, y peno
por ver mi hijo venir.

¡Ay, vuelva, suba y llegue
derechamente aquí,
o me arrojo del cielo
y lo recobro al fin!

CANCIÓN DEL TAURUS

El Toro carga al niño
al hombre y la mujer,
y el Toro carga el mundo
con tal que se lo den.

Búscame por el cielo
y me verás pacer.

Ahora no soy rojo
como cuando era res.
Subí de un salto al cielo
y aquí me puse a arder.

A veces soy lechoso,
a veces color miel.

Arden igual que llamas
mis cuernos y mi piel.
Y arde también mi ruta
hasta el amanecer.

No duermo ni me apago
para no serte infiel.

Estuve ya en el Arca,
y en Persia, y en Belén.
Ahora ya no puedo
morir ni envejecer.

Duérmete así lamido
por el Toro de Seth.

Dormido irás creciendo;
creciendo harás la Ley
y escogerás ser Cristo
o escogerás ser Rey.

Hijito de Dios Padre
en brazos de mujer.

CANCIÓN QUECHUA*

Donde fue Tihuantisuyo,
nacían los indios.
Llegábamos a la puna
con danzas, con himnos.

Silbaban quenas, ardían
dos mil fuegos vivos.
Cantaban Coyas de oro
y Amautas benditos.

Bajaste ciego de soles,
volando dormido,
para hallar viudos los aires
de llama y de indio.

*El fondo de esta canción, su esencia, corresponde a otra, citada por
los Reclus, como un texto oral de mujer quechua, en una edición de sus
Geografías que consulté en Nueva York hace años (nota de la autora).

Y donde eran maizales
ver subir el trigo
y en lugar de las vicuñas
topar los novillos.

¡Regresa a tu Pachacamac,
En-Vano-Venido,
Indio loco, Indio que nace,
pájaro pérdido!

La madre triste

Duerme, duerme, dueño mío,
sin zozobra, sin temor,
aunque no se duerma mi alma,
aunque no descanse yo.

Duerme, duerme y en la noche
seas tú menos rumor
que la hoja de la hierba,
que la seda del vellón.

Duerma en ti la carne mía,
mi zozobra, mi temblor.
En ti ciérrense mis ojos:
¡duerma en ti mi corazón!

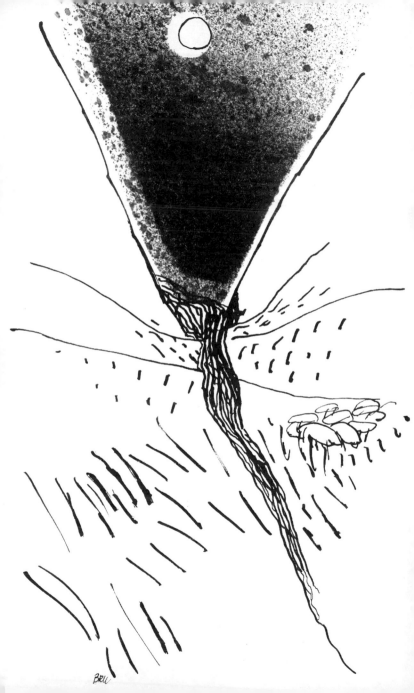

CANCIÓN AMARGA

¡Ay! ¡Juguemos, hijo mío,
a la reina con el rey!

Este verde campo es tuyo.
¿De quién más podría ser?
Las oleadas de la alfalfa
para ti se han de mecer.

Este valle es todo tuyo.
¿De quién más podría ser?
Para que los disfrutemos
los pomares se hacen miel.

(¡Ay! ¡No es cierto que tiritas
como el Niño de Belén
y que el seno de tu madre
se secó de padecer!)

El cordero está espesando
el vellón que he de tejer,
y son tuyas las majadas.
¿De quién más podrían ser?

Y la leche del establo
que en la ubre ha de correr,
y el manojo de las mieses
¿de quién más podrían ser?

(¡Ay! ¡No es cierto que tiritas
como el Niño de Belén
y que el seno de tu madre
se secó de padecer!)

—¡Sí! ¡Juguemos, hijo mío,
a la reina con el rey!

El establo

Al llegar la medianoche
y al romper en llanto el Niño,
las cien bestias despertaron
y el establo se hizo vivo.

Y se fueron acercando,
y alargaron hasta el Niño
los cien cuellos anhelantes
como un bosque sacudido.

Bajó un buey su aliento al rostro
y se lo exhaló sin ruido,
y sus ojos fueron tiernos
como llenos de rocío.

Una oveja lo frotaba,
contra su vellón suavísimo,
y las manos le lamían,
en cuclillas, dos cabritos...

Las paredes del establo
se cubrieron sin sentirlo
de faisanes, y de ocas,
y de gallos, y de mirlos.

Los faisanes descendieron
y pasaban sobre el Niño
la gran cola de colores;
y las ocas de anchos picos,

arreglábanle las pajas;
y el enjambre de los mirlos
era un velo palpitante
sobre del recién nacido...

Y la Virgen, entre cuernos
y resuellos blanquecinos,
trastrocada iba y veía
sin poder tomar al Niño.

Y José llegaba riendo
a acudir a la sin tino.
Y era como bosque al viento
el establo conmovido...

SEMILLA

A Paula Alegría.

I

Duerme, hijito, como semilla
en el momento de sembrar,
en los días de encañadura
o en los meses de ceguedad.

Duerme, huesito de cereza,
y bocadito de chañar,
color quemado, fruto ardido
de la mejilla de Simbad.

Duerme lo mismo que la fábula
que hace reír y hace llorar.
Por menudo y friolera,
como que estás y que no estás...

II

Cuerpecito que me espejea
de cosas grandes que vendrán,
con el pecho lleno de luna
partido en tierras por arar;

55

con el brazo dado a los remos
de quebracho y de guayacán,
y la flecha para la Sierra
en donde cazan el faisán.

Duerme, heredero de aventuras
que se vinieron por el mar,
ahijado de antiguos viajes
de Colón y de Gengis-Kan;

heredero de adoraciones,
que al hombre queman y al copal,
y figura de Jesucristo
cuando repartas Pez y Pan.

Niño rico

A Arévalo Martínez.

Yo no despierto a mi dormido
la Noche Buena de Belén,
porque sueña con la Etiopía
desde su loma del Petén...

Me quedo sola y no despierto
al que está viendo lo que ve:
las palomas, las codornices,
el agua-rosa, el río-miel;

el amante cobija-pueblo,
la palmera mata-la-sed,
el pez-arcángel del Caribe
y su quetzal maya-quiché.

Yo no despierto a mi dormido
para dormírmelo otra vez,
arrebatarle maravilla
y no saberla devolver...

El sueño mío que rompieron,
no lo supe dormir después,
y cuando lloro todavía
lloro mi Noche de Belén.

Niño chiquito

A Fernanda de Castro.

Absurdo de la noche,
burlador mío,
si-es no-es de este mundo,
niño dormido.

Aliento angosto y ancho
que oigo y no miro,
almeja de la noche
que llamo hijo.

Filo de lindo vuelo,
filo de silbo,
filo de larga estrella,
niño dormido.

A cada hora que duermes,
más ligerito.
Pasada medianoche,
ya apenas niño.

Espesa losa, vigas
pesadas, lino
áspero, canto duro,
sobre mi hijo.

Aire insensato, estrellas
hirvientes, río
terco, porfiado búho,
sobre mi hijo.

En la noche tan grande,
tan poco niño,
tan poca prueba y seña,
tan poco signo.

Vergüenza tánta noche
y tánto río,
y "tánta madre tuya",*
niño dormido...

Achicarse la Tierra
con sus caminos,
aguzarse la esfera
tocando un niño.

¡Mudársete la noche
en lo divino,
yo en urna de tu sueño,
hijo dormido!

*Expresión popular mexicana (nota de la autora).

Sueño grande

A Adela Formoso de Obregón.

A niño tan dormido
no me le recordéis.
Dormía así en mi entraña
con mucha dejadez.

Yo lo saqué del sueño
de todo su querer,
y ahora se me ha vuelto
a dormir otra vez.

La frente está parada
y las sienes también.
Los pies son dos almejas
y los costados pez.

Rocío tendrá el sueño,
que es húmeda su sien.
Tendrá música el sueño
que le da su vaivén.

Resuello se le oye
en agua de correr;
pestañas se le mueven
en hojas de maitén.

Les digo que lo dejen
con tánto y tánto bien,
hasta que se despierte
de sólo su querer...

El sueño se lo ayudan
el techo y el dintel,
la Tierra que es Cibeles,
la madre que es mujer.

A ver si yo le aprendo
dormir que ya olvidé
y se lo aprende tánta
despierta cosa infiel.

Y nos vamos durmiendo
como de su merced,
de sobras de ese sueño,
hasta el amanecer...

La ola del sueño[3]

La marea del sueño
comienza a llegar
desde el Santo Polo
y el último mar.

Derechamente viene,
a silbo y señal;
subiendo el mundo viene
en blanco animal.

Ha pasado Taitao,
Niebla y Chañaral
a tu puerta y tu cuna
llega a acabar…

Sube del viejo Polo,
eterna y mortal.
Viene del mar Antártico
y vuelve a bajar.

La ola encopetada
se quiebra en el umbral.
Nos busca, nos halla
y cae sin hablar.

En cuanto ya te cubra
dejas de ronronear;
y llegándome al pecho,
yo dejo de cantar.

Donde la casa estuvo,
está llena no más.
Donde tú mismo estabas,
ahora ya no estás.

Está la ola del sueño,
espumajeo y sal,
y la Tierra inocente,
sin bien y sin mal.

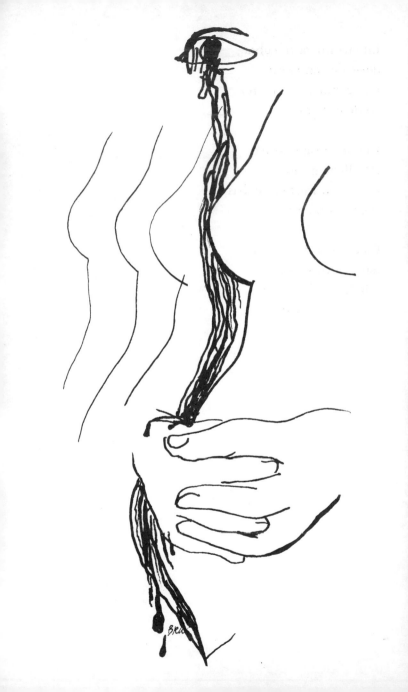

CANCIÓN DE LA SANGRE

Duerme, mi sangre única
que así te doblaste,
vida mía, que se mece
en rama de sangre.

Musgo de los sueños míos
en que te cuajaste,
duerme así, con tus sabores
de leche y de sangre.

Hijo mío, todavía
sin piñas ni agaves,
y volteando en mi pecho
granadas de sangre,

sin sangre tuya, latiendo
de las que tomaste,
durmiendo así tan completo
de leche y de sangre.

Cristal dando unos trasluces
y luces, de sangre;
fanal que alumbra y me alumbra
con mi propia sangre.

Mi semillón soterrado
que te levantaste;
estandarte en que se para
y cae mi sangre;

camina, se aleja y vuelve
a recuperarme.
Juega con la duna, echa
sombra y es mi sangre.

¡En la noche, si me pierde,
lo trae mi sangre!
¡Y en la noche, si lo pierdo,
lo hallo por su sangre!

CANCIÓN DE PESCADORAS

Niñita de pescadores
que con viento y olas puedes,
duerme pintada de conchas,
garabateada de redes.

Duerme encima de la duna
que te alza y que te crece,
oyendo la mar-nodriza
que a más loca mejor mece.

La red me llena la falda
y no me deja tenerte,
porque si rompo los nudos
será que rompo tu suerte...

Duérmete mejor que lo hacen
las que en la cuna se mecen,
la boca llena de sal
y el sueño lleno de peces.

Dos peces en las rodillas,
uno plateado en la frente
y en el pecho, bate y bate,
otro pez incandescente...

ARRULLO PATAGÓN[4]

A doña Graciela de Menéndez.

Nacieron esta noche
por las quebradas
liebre rojiza,
vizcacha parda.

Manar se oyen dos leches
que no manaban,
y en el aire se mueven
colas y espaldas.

¡Ay, quién saliese,
ay, quién acarreara
en brazo y brazo
la liebre, la vizcacha!

Pero es la noche
ciega y apretujada
y me pierdo por cuevas
y por aguadas.

Me quedo oyendo
las albricias que llaman:
sorpresas, miedos,
pelambres enrolladas;

sintiendo dos alientos
que no alentaban,
tanteando en agujeros
cosas trocadas.

Hasta que venga el día
que busca y halla
y quebrando los pastos
las cargue y traiga...

CANCIÓN DE LA MUERTE

La vieja Empadronadora,
la mañosa Muerte,
cuando vaya de camino,
mi niño no encuentre.

La que huele a los nacidos
y husmea su leche,
encuentre sales y harinas,
mi leche no encuentre.

La Contra-Madre del Mundo,
la Convida-gentes,
por las playas y las rutas
no halle al inocente.

El nombre de su bautismo
—la flor con que crece—,
lo olvide la memoriosa,
lo pierda, la Muerte.

De vientos, de sal y arenas,
se vuelva demente,
y trueque, la desvariada,
el Oeste, y el Este.

Niño y madre los confunda
lo mismo que peces,
y en el día y en la hora
a mí sola encuentre.

MI CANCIÓN

Mi propia canción amante
que sin brazos acunaba
una noche entera esclava
¡cántenme!

La que bajaba cargando
por el Ródano o el Miño,
sueño de mujer o niño
¡cántenme!

La canción que yo prestaba
al despierto y al dormido
ahora que me han herido
¡cántenme!

La canción que yo cantaba
como una suelta vertiente
y que sin bulto salvaba
¡cántenme!

Para que ella me levante
con brazo de Arcángel fuerte
y me alce de mi muerte
¡cántenme!

La canción que repetía
rindiendo a noche y a muerte
ahora porque me liberte
¡cántenme!

Niño mexicano

Estoy en donde no estoy,
en el Anáhuac plateado,
y en su luz como no hay otra
peino un niño de mis manos.

En mis rodillas parece
flecha caído del arco,
y como flecha lo afilo
meciéndolo y canturreando.

En luz tan vieja y tan niña
siempre me parece hallazgo,
y lo mudo y lo volteo
con el refrán que le canto.

Me miran con vida eterna
sus ojos negri-azulados,
y como en costumbre eterna,
yo lo peino en mis manos.

Resinas de pino-ocote
van de su nuca a mis brazos,
y es pesado y es ligero
de ser la flecha sin arco...

Lo alimento con un ritmo,
y él me nutre de algún bálsamo
que es el bálsamo del maya
del que a mí me despojaron.

Yo juego con sus cabellos
y los abro y los repaso,
y en sus cabellos recobro
a los mayas dispersados.

Hace doce años dejé
a mi niño mexicano;
pero despierta o dormida
yo lo peino de mis manos...

¡Es una maternidad
que no me cansa el regazo
y es un éxtasis que tengo
de la gran muerte librado!

II

RONDAS

Invitación

—¿Qué niño no quiere a la ronda
que está en las colinas venir?
Aquellos que se rezagaron
se ven por la cuesta subir.

Vinimos buscando y buscando
por viñas, majadas, pinar,
y todos se unieron cantando
y el corro hace al valle blanquear...

¿En dónde tejemos la ronda?

¿En dónde tejemos la ronda?
¿La haremos a orillas del mar?
El mar danzará con mil olas
haciendo una trenza de azahar.

¿La haremos al pie de los montes?
El monte nos va a contestar.
¡Será cual si todas quisiesen,
las piedras del mundo, cantar!

¿La haremos, mejor, en el bosque?
La voz y la voz va a trenzar,
y cantos de niños y de aves
se irán en el viento a besar.

¡Haremos la ronda infinita!
¡La iremos al bosque a trenzar,
la haremos al pie de los montes
y en todas las playas del mar!

LA MARGARITA

A Marta Samatán.

El cielo de diciembre es puro
y la fuente mana, divina,
y la hierba llamó temblando
a hacer la ronda en la colina.

Las madres miran desde el valle,
y sobre la alta hierba fina
ven una inmensa margarita,
que es nuestra ronda en la colina.

Ven una loca margarita
que se levanta y que se inclina,
que se desata y que se anuda,
y que es la ronda en la colina.

En este día abrió una rosa
y perfumó la clavelina,
nació en el valle un corderillo
e hicimos ronda en la colina...

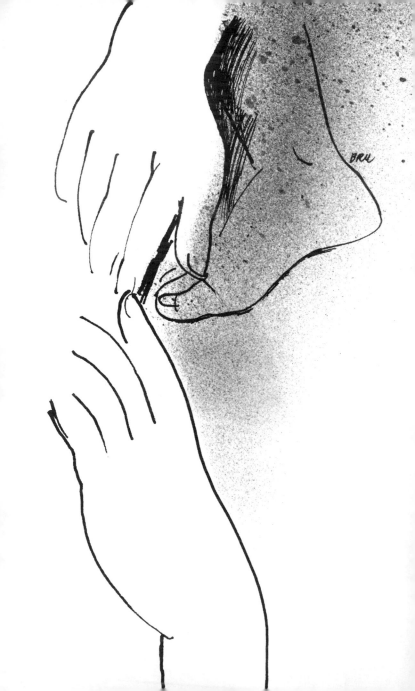

DAME LA MANO*

A Tasso de Silveira.

Dame la mano y danzaremos;
dame la mano y me amarás.
Como una sola flor seremos,
como una flor, y nada más...

El mismo verso cantaremos,
al mismo paso bailarás.
Como una espiga ondularemos,
como una espiga, y nada más.

Te llamas Rosa y yo Esperanza;
pero tu nombre olvidarás,
porque seremos una danza
en la colina, y nada más...

*Mi compañero el poeta Tasso de Silveira, me salvó una estrofa
perdida de esta Ronda, la única que tal vez importaba cuidar, y que
había sido suprimida por editor o tipógrafo... (nota de la autora).

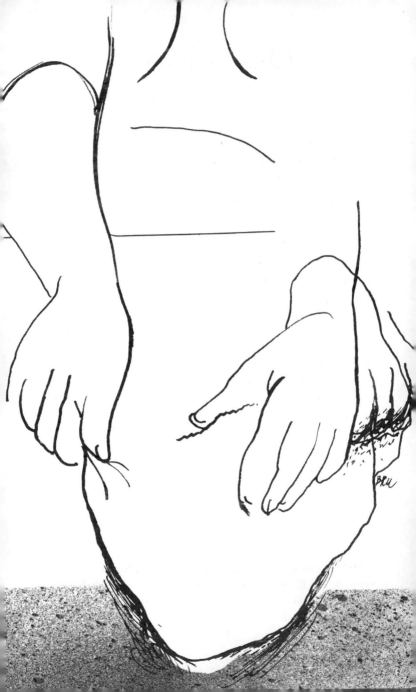

TIERRA CHILENA

Danzamos en tierra chilena,
más bella que Lía y Raquel;
la tierra que amasa a los hombres
de labios y pecho sin hiel...

La tierra más verde de huertos,
la tierra más rubia de mies,
la tierra más roja de viñas,
¡qué dulce que roza los pies!

Su polvo hizo nuestras mejillas,
su río hizo nuestro reír[5],
y besa los pies de la ronda
que la hace cual madre gemir.

Es bella, y por bella queremos
sus pastos de rondas albear;
es libre y por libre deseamos
su rostro de cantos bañar...

Mañana abriremos sus rocas,
la haremos viñedo y pomar;
mañana alzaremos sus pueblos;
¡hoy sólo queremos danzar!

RONDA DE LOS COLORES

Azul loco y verde loco
del lino en rama y en flor.
Mareando las oleadas
baila el lindo azuleador.

Cuando el azul se deshoja,
sigue el verde danzador:
verde-trébol, verde-oliva
y el gayo verde-limón.

¡Vaya hermosura!
¡Vaya el Color!

Rojo manso y rojo bravo
—rosa y clavel reventón—.
Cuando los verdes se rinden,
él salta como un campeón.

Bailan uno tras el otro,
no se sabe cuál mejor,
y los rojos bailan tanto
que se queman en su ardor.

¡Vaya locura!
¡Vaya el Color!

El amarillo se viene
grande y lleno de fervor
y le abren paso todos
como viendo a Agamenón.

A lo humano y lo divino
baila el santo resplandor:
aromos gajos dorados
y el azafrán volador.

¡Vaya delirio!
¡Vaya el Color!

Y por fin se van siguiendo
al pavo-real del sol,
que los recoge y los lleva
como un padre o un ladrón.

Mano a mano con nosotros
todos eran, ya no son:
¡El cuento del mundo muere
al morir el Contador!

RONDA DEL ARCO-IRIS

A Fryda Schulz de Mantovani.

La mitad de la ronda
estaba y no está.
La ronda fue cortada
mitad a mitad.

Paren y esperen
a lo que ocurrirá.
¡La mitad de la rueda
se echó a volar!

¡Qué colores divinos
se vienen y se van!
¡Qué faldas en el viento
qué lindo revolar!

Está de cerro a cerro
baila que bailarás.
Será jugada o trueque,
o que no vuelva más.

Mirando hacia lo alto
todas ahora están,
una mitad llorando,
riendo otra mitad.

¡Ay, mitad de la rueda,
ay, bajad y bajad!
O nos lleváis a todas
si acaso no bajáis.

LOS QUE NO DANZAN

Una niña que es inválida
dijo: —"¿Cómo danzo yo?"
Le dijimos que pusiera
a danzar su corazón...

Luego dijo la quebrada:
—"¿Cómo cantaría yo?"
Le dijimos que pusiera
a cantar su corazón...

Dijo el pobre cardo muerto:
—"¿Cómo danzaría yo?"
Le dijimos: —"Pon al viento
a volar tu corazón...".

Dijo Dios desde la altura:
—"¿Cómo bajo del azul?"
Le dijimos que bajara
a danzarnos en la luz.

Todo el valle está danzando
en un corro bajo el sol.
A quien falte se le vuelve
de ceniza el corazón...

Ronda de la paz[6]

A don Enrique Molina.

Las madres, contando batallas,
sentadas están al umbral.
Los niños se fueron al campo
la piña de pino a cortar.

Se han puesto a jugar a los ecos
al pie de su cerro alemán.
Los niños de Francia responden
sin rostro en el viento del mar.

Refrán y palabra no entienden,
mas luego se van a encontrar,
y cuando a los ojos se miren
el verse será adivinar.

Ahora en el mundo el suspiro
y el soplo se alcanza a escuchar
y a cada refrán las dos rondas
ya van acercándose más.

Las madres, subiendo la ruta
de olores que lleva al pinar,
llegando a la rueda se vieron
cogidas del viento volar…

Los hombres salieron por ellas
y viendo la tierra girar
y oyendo cantar a los montes,
al ruedo del mundo se dan.

Jesús

A la maestra Yandyra Pereyra.

Haciendo la ronda
se nos fue la tarde.
El sol ha caído:
la montaña no arde.

Pero la ronda seguirá
aunque en el cielo el sol no está.

Danzando, danzando
la viviente fronda
no lo oyó venir
y entrar en la ronda.

Ha abierto el corro, sin rumor,
y al centro está hecho resplandor.

Callando va el canto,
callando de asombro.
Se oprimen las manos,
se oprimen temblando.

Y giramos alrededor
y sin romper el resplandor...

Ya es silencio el corro,
ya ninguno canta:
se oye el corazón
en vez de garganta.

¡Y mirando Su rostro arder,
nos va a hallar el amanecer!

Ronda de la ceiba
ecuatoriana

A la maestra Emma Ortiz.

¡En el mundo está la luz,
y en la luz está la ceiba,
y en la ceiba está la verde
llamarada de la América!

¡Ea, ceiba, ea, ea!

Árbol-ceiba no ha nacido
y la damos por eterna,
indios quitos no la plantan
y los ríos no la riegan.

Tuerce y tuerce contra el cielo
veinte cobras verdaderas,
y al pasar por ella el viento
canta toda como Débora.

¡Ea, ceiba, ea, ea!

No la alcanzan los ganados
ni le llega la saeta.
Miedo de ella tiene el hacha
y las llamas no la queman.

95

En sus gajos, de repente,
se arrebata y se ensangrienta
y después su santa leche
cae en cuajos y guedejas.

¡Ea, ceiba, ea, ea!

A su sombra de giganta
bailan todas las doncellas,
y sus madres que están muertas
bajan a bailar con ellas.

¡Ea, ceiba, ea, ea!

Damos una y otra mano
a las vivas y a las muertas,
y giramos y giramos
las mujeres y las ceibas...

*¡En el mundo está la luz
y en la luz está la ceiba,
y en la ceiba está la verde,
llamarada de la Tierra!*

Ronda de los Metales

A Martha A. Salotti.

Del centro de la Tierra,
oyendo la señal,
los Lázaros metales
subimos a danzar.

Estábamos dormidos
y costó despertar
cuando el Señor y Dueño
llamó a su mineral.

¡Halá!, ¡halá!
¡el Lázaro metal!

Veloz o lento bailan
los osos del metal:
el negro topa al rojo,
el blanco al azafrán.

¡Va —viene y va—
el Lázaro metal!

El cobre es arrebato,
la plata es maternal,

los hierros son Pelayos,
el oro, Abderrahmán.

Baila con llamaradas
la gente mineral:
Van y vienen relámpagos
como en la tempestad.

La ronda asusta a ratos
del resplandor que da,
y silva la Anaconda
en plata y en timbal.

¡Halá!, ¡halá!
¡el Lázaro metal!

En las pausas del baile
quedamos a escuchar
—niños recién nacidos—
el tumbo de la mar.

Vengan los otros Lázaros
hacia su libertad;
salten las boca-minas
y lleguen a danzar.

¡Ya sube, ya,
el Lázaro metal!

Cuando relumbre toda
la cancha del metal,
la Tierra vuelta llama
¡qué linda va a volar!

Y va a subir los cielos,
en paloma pascual,
como era cuando era
en flor la Eternidad.

¡Halalalá!
¡el Lázaro metal!

Ronda de segadores

A Marcos F. Ayerza.

Columpiamos el santo
perfil del pan,
voleando la espiga
de Canaán.

Los brazos segadores
se vienen y se van.
La tierra de Argentina
tiembla de pan.

A pan segado huele
el pecho del jayán
a pan su padrenuestro,
su sangre a pan.

Alcanza a la cintura
el trigo capitán.
Los brazos segadores
los lame el pan.

El silbo de las hoces
es único refrán,
y el fuego de las hoces
no quema al pan.

Matamos a la muerte
que baja en gavilán,
braceando y cantando
la ola del pan.

TODO ES RONDA

Los astros son rondas de niños,
jugando la tierra a espiar...
Los trigos son talles de niñas
jugando a ondular..., a ondular...

Los ríos son rondas de niños
jugando a encontrarse en el mar...
Las olas son rondas de niñas
jugando la Tierra a abrazar...

EL CORRO LUMINOSO

Corro de las niñas,
corro de mil niñas
a mi alrededor:
¡oh, Dios, yo soy dueña
de este resplandor!

En la tierra yerma,
sobre aquel desierto
mordido de sol,
¡mi corro de niñas
como inmensa flor!

En el llano verde,
al pie de los montes
que hería la voz,
¡el corro era un solo
divino temblor!

En la estepa inmensa,
en la estepa yerta
de desolación,
¡mi corro de niñas
ardiendo de amor!

En vano quisieron
quebrarme la estrofa
con tribulación,
¡el corro la canta
debajo de Dios!

Ronda Argentina[7]

La ronda de la Argentina
en el Trópico aparece
y bajando por los ríos
con sus mismos ríos crece.
Pasa, pasa los plantíos
y en helechos se atardece.
Caminamos con el día
seguimos cuando anochece.

Dejando Mesopotamia
como que desaparece,
porque el anillo se rompe
con la fuerza de las mieses.
Siete veces se nos rompe
y se junta siete veces

En la Pampa va cruzando
la grosura de las reses
y la ronda blanca parte
negruras y bermejeces.
Y con el viento pampero
a más canta más se crece.

Llegando a la Patagonia,
de avestruces emblanquece,
y pescamos en las Islas
los que son últimos peces.
La ronda de la Argentina
que en el Trópico aparece.
Y la ronda da la vuelta
donde el mundo desfallece...

En el blanco mar Antártico
prueba el mar hasta las heces,
y en un giro da la vuelta
donde el mundo desfallece,
la ronda de la Argentina
que en el Trópico aparece.

Duerme, duerme, niño cristiano

Duerme, duerme,
niño cristiano.
Pasó el día
como el vilano
ebrio de luz
y canto llano
y el adamita
no vivió en vano.

Duerme, duerme,
niño gitano,
que cruzaste
montaña y llano.
La dulce noche
no toma en vano
la *Conca d'oro*
entre sus manos.

Duerme oprimiendo
en mano y mano
tu Isla dorada,
niño italiano.

Duerme escuchando
rumor lejano
de ángel o arcángel,
niño cristiano.

Duerme celado
de los humanos
y recobrado
de lo arcano.

Sueña lo alto
y lo lejano.
Duerme lo mismo
que trigo en grano,
ciego y mecido
por lenta mano.
Duerme tu mar,
niño cristiano.

RONDA DE LOS AROMAS

Albahaca del cielo
malva de olor,
salvia dedos azules,
anís desvariador.

Bailan atarantados
a la luna o al sol,
volando cabezuelas,
talles y color.

Las zamarrea el viento,
las abre el calor,
las palmotea el río,
las aviva el tambor.

Cuando es que las mandaron
a ser matas de olor,
todas dirían "¡Sí!"
y gritarían "¡Yo!"

La menta va al casorio
del brazo del cedrón
y atrapa la vainilla
al clavito de olor.

Bailemos a los locos
y locas del olor.
Cinco semanas, cinco,
les dura el esplendor.
¡Y no mueren de muerte,
que se mueren de amor!

Ronda cubana

Caminando de Este a Oeste
con su arrastre de metales,
hacen la ronda de espadas
doce mil palmeras reales.

Se desparraman en grupos
como estrellas o animales;
y de nuevo se rehace
la ronda de palmas reales...

Entre cafés y algodones,
y entre los cañaverales,
avanza abriéndose paso
la ronda de palmas reales...

Saltan con una pernada
maniguas y platanales
y de noche van somnámbulas
andando, las palmas reales...

Cuando, de loca frenética,
suelta las cofias y chales,
se da a bailar con nosotros
la ronda de palmas reales...

Pero ahora, de ligeras,
no llevan cuerpos mortales,
y se pierde rumbo al cielo,
la ronda de palmas reales.

Ronda del fuego

A Gabriel Tomic.

Flor eterna de cien hojas
fucsia llena de denuedo
flor en tierra no sembrada
que mentamos *flor del fuego*.

Esta roja flor la dan
en la noche de San Juan.

Flor que corre como el gamo,
con la lengua sin jadeo,
flor que se abre con la noche,
repentina flor del fuego.

Esta flor es la que dan
en la noche de San Juan.

Flor en tierra no sembrada,
flor sin árbol, flor sin riego,
el tu amor está en la tierra
y el tu tallo está en los cielos.

Esta flor cortan y dan
en la noche de San Juan.

Flor que sueltan leñadores
contra bestia y contra miedo;
flor que mata los fantasmas,
¡voladora flor del fuego!

¡Esta roja flor la dan
en la noche de San Juan!

Yo te enciendo, tú me llevas;
yo te celo y te mantengo.
Cuánto amor que nos tuviste
¡flor caída, flor del fuego!

Esta flor cortan y dan
en la noche de San Juan.

III

LA DESVARIADORA

LA MADRE-NIÑA

A Carlos A. Préndez.

Los que pasan
igual que ayer,
ven el patio
con el maitén;*
miran la parra
moscatel
¡y a mi niño
no ven, no ven!

Tanto se apega
a la mujer,
aparragado
como el llantén,**
sin grito y llanto
que hagan volver
a los arrieros
de Illapel.

Salgo al camino
de una vez

*Árbol coposo de Chile (nota de la autora).
**Planta menuda y chata común en Chile (id.).

loca perdida
de mujer,

y lo voceo
como agua o miel,
y lo voleo
como a la mies.
¡Y al aire vuela
mi laurel!

Bajan y bajan
en tropel,
a ver redoma
con su pez
y medallita
de revés:
niña de trenzas
ya mujer.
Tiran pañales
para entender.
¡Y al hijo mío
al fin lo ven!

QUE NO CREZCA

Que el niño mío
así se me queda.
No mamó mi leche
para que creciera.
Un niño no es el roble,
y no es la ceiba.
Los álamos, los pastos,
los otros, crezcan:
en malvavisco
mi niño se queda.

Ya no le falta nada:
risa, maña, cejas,
aire y donaire.
Sobra que crezca.

Si crece, lo ven todos
y le hacen señas.
O me lo envalentonan
mujeres necias
o tantos mocetones
que a casa llegan:
¡que mi niño no mire
monstruos de leguas!

Los cinco veranos
que tiene tenga.
Así como está
baila y galanea.

En talla de una vara
caben sus fiestas,
todas sus Pascuas
Y Noches-Buenas.

Mujeres locas
no griten y sepan:
nacen y no crecen
el Sol y las piedras,
nunca maduran
y quedan eternas.
En la majada
cabritos y ovejas,
maduran y se mueren:
¡malhaya ellas!

¡Dios mío, páralo!
¡Que ya no crezca!
Páralo y sálvalo:
¡mi hijo no se me muera!

ENCARGOS

A Amalia Castillo Ledón.

Le he rogado al almud de trigo
guarde la harina sin agriura,
y a los vinos que, cuando beba,
no me le hagan sollamadura.
Y vino y trigo que me oían
se movieron como quien jura...

Grité en la peña al oso negro,
al que llamamos sin fortuna,
que, si sube despeñadero,
no me lo como bestia alguna.
Y el oso negro prometía
con su lomo sin sol ni luna...

Tengo dicho a la oreja crespa
de la cicuta, que es impura,
que si la muerde, no lo mate,
aunque su flor esté madura.
Y la cicuta, comprendiendo,
se movía, jura que jura...

Y mandado le tengo al río,
que es agua mala, de conjura,
que le conozca y no le ahogue,

cuando le cruce embocadura.
Y en ademán de espuma viva,
el río malo me lo jura...

Ando en el trance de mostrarlo
a las cosas, una por una,
y las mujeres se me ríen
del sacar niño de la cuna,
aunque viven a lluvia y aire
la granada con la aceituna.

Cuando ya estamos de regreso
a la casa de nuez oscura,
yo me pongo a rezar el mundo,
como quien punza y lo apresura,
¡para que el mundo, como madre,
sea loco de mi locura
y tome en brazos y levante
al niñito de mi cintura!

MIEDO

Yo no quiero que a mi niña
golondrina me la vuelvan;
se hunde volando en el Cielo
y no baja hasta mi estera;
en el alero hace nido
y mis manos no la peinan.
Yo no quiero que a mi niña
golondrina me la vuelvan.

Yo no quiero que a mi niña
la vayan a hacer princesa.
Con zapatitos de oro
¿cómo juega en las praderas?
Y cuando llegue la noche
a mi lado no se acuesta...
Yo no quiero que a mi niña
la vayan a hacer princesa.

Y menos quiero que un día
me la vayan a hacer reina.
La subirían al trono
a donde mis pies no llegan.
Cuando viniese la noche
yo no podría mecerla...

¡Yo no quiero que a mi niña
me la vayan a hacer reina!

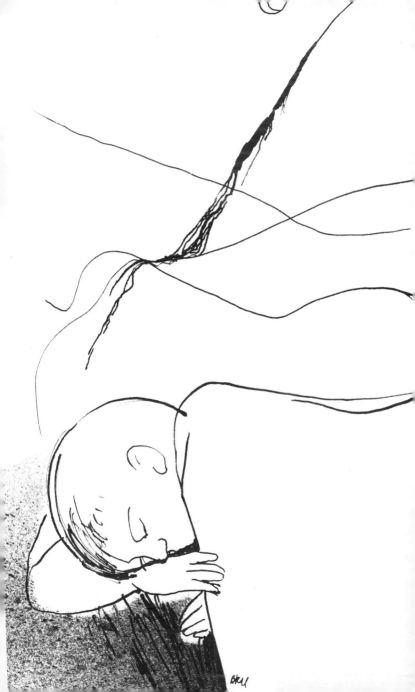

Devuelto

A la cara de mi hijo
que duerme, bajan
arenas de las dunas,
flor de la caña
y la espuma que vuela
de la cascada...

Y es sueño nada más
cuanto le baja;
sueño cae a su boca,
sueño a su espalda
y me roban su cuerpo
junto con su alma.

Y así lo van cubriendo
con tanta maña,
que en la noche no tengo
hijo ni nada,
madre ciega de sombra,
madre robada.

Hasta que el sol bendito
al fin lo baña:
me lo devuelve en la linda
fruta mondada
¡y me lo pone entero
sobre la falda!

La nuez vana

I

La nuez abolladita
con la que juegas,
caída del nogal
no vio la Tierra.

La recogí del pasto,
no supo quién yo era.
Tirada al cielo,
no lo vio la ciega.
Con ella cogida
yo bailé en la era
y no oyó, la sorda,
correr a las yeguas...

Tú no la voltees,
su noche la duerma.
La partirás llegando
la Primavera.
El mundo de Dios
de golpe le entregas
y le gritas su nombre
y el de la Tierra.

II

Pero él la partió
sin más espera
y vio caer el polvo
de la nuez huera;
se le llenó la mano
de muerte negra,
y la lloró y lloró
la noche entera...

III

Vamos a sepultarla
bajo unas hierbas,
antes de que se venga
la Primavera.
No sea que Dios vivo
en pasando la vea
y toque con sus manos
la muerte en la Tierra.

BENDICIONES*

A Carmen Valle.

I

Bendita mi lengua sea
y mi pecho y mi respiro
y benditas mis potencias
para bendecir al hijo.

Benditos tus cinco siervos
que llamas cinco sentidos,
tu cabeza con bautismo
y tus hombros con rocío.

Benditos tus alimentos
en su imagen y en su signo
y en tu mano den las frutas
luz y trasluces divinos.

Bendito cojas el bulto
del timón o del martillo
o muelas metales, o hagas
el rostro de Jesucristo.

*"Día de las madres en Brasil" (nota de la autora).

Bendito te huela el tigre
y te conozca bendito
y el zorro belfos helados
no te ronde los cortijos.

Bendita sea tu fuerza
cuando majes al destino,
y te aúpe en la derrota,
y devuelva lo perdido.

Bendito de Dios galopes;
el mar navegues bendito.
Bendito vayas y vuelvas.
Nunca te traigan herido.

Bendito entres por las casas,
alzada de árbol florido,
y Raquel te sepa suyo,
y arribado sin caminos.

Bendito vayas de muerto
como el pez de tres abismos,
repechando las cascadas
de Padre, de Hijo y Espíritu.

Bendita seas andando
por la tierra sembradía
que se vuelve con los surcos
para decirte bendita.

Los pájaros que te cruzan
como al Ángel y a Tobías
le dejen caer su gracia
a la madre que camina.

Bendita te cante el viento
en las cañas y en las quilas
y la ráfaga, zumbando,
quiebro a quiebro te bendiga.

Las bestias en torno tuyo
hagan una rueda viva
y por bendita te lleven
hasta la puerta sus crías.

Entres bendita al establo
a lavar a las novillas:
belfos y hálitos parados
te topen como neblinas.

Pan sollamado que partas
en su tajo te sonría:
Enderezada en las palmas
se te embelese la miga.

El algodón de la zafra
cuando lo tronchas no gima:
majado de los telares
se vuelva a ti todavía.

Oigas el hacha del hijo
abriendo la selva viva,
y el pecho del hijo te oiga
como una concha escondida.

Con dos edades te vean
las gentes el mismo día;
el mozo te llame "madre"
y un viejo te diga "niña".

Cuando se venza tu carne,
te conozcan la fatiga;
te vean menguar la sombra,
te den por luna cumplida.

Baje entonces a tu seña
el Halcón de Halconería
y arrebatada te lleve
a espirales de alegría...

La cajita de Olinalá*

A Ema y Daniel Cossio

I

Cajita mía
de Olinalá,
palo-rosa,
jacarandá.

Cuando la abro
de golpe da
su olor de Reina
de Sabá.

¡Ay, bocanada
tropical:
clavo, caoba
y el copal!

La pongo aquí,
la dejo allá;
por corredores
viene y va.

*Cajitas de Olinalá (México) coloreadas y decoradas, hechas en madera de olor (nota de la autora).

135

Hierve de grecas
como un país:
nopal, venado,
codorniz.

Los volcanes
de gran cerviz
y el indio aéreo
como el maíz.

Así la pintan,
así, así,
dedos de indio
o colibrí;

y así la hace
de cabal
mano azteca,
mano quetzal.

II

Cuando la noche
va a llegar,
porque me guarde
de su mal,

me la pongo
de cabezal
donde otros ponen
su metal.

Lindos sueños
hace soñar;
hace reír,
hace llorar...

Mano a mano
se pasa el mar,
sierras mellizas*
campos de arar.

Se ve al Anáhuac
rebrillar
la bestia-Ajusco**
que va a saltar,

y por el rumbo
que lleva al mar
a Quetzalcoalt
se va a alcanzar.

*Sierra Madre Oriental y Sierra Madre Occidental (nota de la autora).

**El cerro Ajusco, que domina la capital (id.).

Ella es mi hálito
yo su andar,
ella saber,
yo desvariar.

Y paramos
como el maná
donde el camino
se sobra ya,

donde nos grita
un ¡halalá!
el mujerío
de Olinalá.

IV

JUGARRETAS[8]

LA PAJITA

Esta que era una niña de cera;
pero no era una niña de cera,
era una gavilla parada en la era.
Pero no era una gavilla
sino la flor tiesa de la maravilla*.
Tampoco era la flor sino que era
un rayito de sol pegado a la vidriera.
No era un rayito de sol siquiera:
una pajita dentro de mis ojitos era.

¡Alléguense a mirar cómo he perdido entera,
en este lagrimón, mi fiesta verdadera!

*En Chile llamamos "flor de la maravilla" al girasol (nota de la
autora).

LA MANCA

Que mi dedito lo cogió una almeja,
y que la almeja se cayó en la arena,
y que la arena se la tragó el mar.
Y que del mar la pescó un ballenero
y el ballenero llegó a Gibraltar;
y que en Gibraltar cantan pescadores:
—"Novedad de tierra sacamos del mar,
novedad de un dedito de niña.
¡La que esté manca lo venga a buscar!"

Que me den un barco para ir a traerlo,
y para el barco me den capitán,
para el capitán que me den soldada,
y que por soldada pide la ciudad:
Marsella con torres y plazas y barcos
de todo el mundo la mejor ciudad,
que no será hermosa con una niñita
a la que robó su dedito el mar,
y los balleneros en pregones cantan
y están esperando sobre Gibraltar...

LA RATA

Una rata corrió a un venado
y los venados al jaguar,
y los jaguares a los búfalos,
y los búfalos a la mar...

¡Pillen, pillen a los que se van!
¡Pillen a la rata, pillen al venado,
pillen a los búfalos y a la mar!

Miren que la rata de la delantera
se lleva en las patas lana de bordar,
y con la lana bordo mi vestido
y con el vestido me voy a casar.

Suban y pasen la llanada,
corran sin aliento, sigan sin parar,
vuelen por la novia, y por el cortejo,
y por la carroza y el velo nupcial.

El PAPAGAYO

El papagayo verde y amarillo,
el papagayo verde y azafrán,
me dijo "fea" con su habla gangosa
y con su pico que es de Satanás.

Yo no soy fea, que si fuese fea,
fea es mi madre parecida al sol,
fea la luz en que mira mi madre
y feo el viento en que pone su voz,
y fea el agua en que cae su cuerpo
y feo el mundo y El que lo crió...

El papagayo verde y amarillo
el papagayo verde y tornasol,
me dijo "fea" porque no ha comido
y el pan con vino se lo llevo yo,
que ya me voy cansando de mirarlo
siempre colgado y siempre tornasol...

EL PAVO REAL

Que sopló el viento y se llevó las nubes
y que en las nubes iba un pavo real,
que el pavo real era para mi mano
y que la mano se me va a secar,
y que la mano la di esta mañana
al rey que vino para desposar.

¡Ay que el cielo, ay que el viento, y la nube
que se van con el pavo real!

V

CUENTA-MUNDO

La cuenta-mundo[9]

Niño pequeño, aparecido,
que no viniste y que llegaste,
te contaré lo que tenemos
y tomarás de nuestra parte.

EL AIRE

Esto que pasa y que se queda,
esto es el Aire, esto es el Aire,
y sin boca que tú le veas
te toma y besa, padre amante.
¡Ay, le rompemos sin romperle;
herido vuela sin quejarse,
y parece que a todos lleva
y a todos deja, por bueno, el Aire...

LA LUZ

Por los aires anda la Luz
que para verte, hijo, me vale.
Si no estuviese, todas las cosas
que te aman no te mirasen;
en la noche te buscarían,
todas gimiendo y sin hallarte.

Ella se cambia, ella se trueca
y nunca es cosa de saciarse.
Amar el mundo nos creemos,
pero amamos la Luz que cae.

La Bendita, cuando nacías,
tomó tu cuerpo para llevarte.
Cuando yo muera y que te deje,
¡síguela, hijo, como a tu madre!

El agua

¡Niñito mío, qué susto tienes
con el Agua adonde te traje,
y todo el susto por el gozo
de la cascada que se reparte!
Cae y cae como mujer,
ciega en espuma de pañales.
Ésta es el Agua, ésta es el Agua,
santa que vino de pasaje.
Corriendo va con cuerpo bajo,
y con espumas de señales.
En momentos ella se acerca
y en momentos queda distante.
Y pasando se lleva el campo
y lleva al niño con su madre...

¡Beben del Agua dos orillas,
bebe la Sed de sorbos grandes,
beben ganados y yuntadas,
y no se acaba, el Agua Amante!

El ARCO-IRIS

El puente del Arco-Iris
se endereza y te hace señas,
el carro de siete colores
que las almas acarrea
y que las sube, una a una,
por las astas de la sierra...

Estaba sumido el puente
y asoma para que vuelvas.
Te da el lomo, te da la mano,
como los puentes de cuerda,
y tú le bates los brazos
igual que peces en fiesta...

¡Ay, no mires lo que miras,
porque de golpe te acuerdas
y cogiéndote del Arco
—sauce que no se quiebra—
te vas a ir por el verde,
el amarillo, el violeta...

Ya mamaste nuestra leche,
niño de María y Eva;
juegas con la verdolaga

delante de nuestras puertas;
entraste en casa de hombres
y pides pan en mi lengua.

¡Vuélvele la cara al Puente;
deja que se rompa, deja,
que si subes me voy como loca,
y te sigo la Tierra entera!

MARIPOSAS

A don Eduardo Santos.

Al Valle que llaman de Muzo*,
que lo llamen Valle de Bodas.
Mariposas anchas y azules
vuelan, hijo, la tierra toda.
Azulea tendido el Valle,
en una siesta que está loca
de colinas y de palmeras
que van huyendo luminosas.
El Valle que te voy contando
como el cardo azul se deshoja,
y en mariposas aventadas
se despoja y no se despoja...

En tanto azul, apenas ven
naranjas y piñas las mozas,
y se abandonan, mareadas,
al columpio de mariposas.
Las yuntas pasan aventando
con el yugo, llamas redondas,
y las gentes al encontrarse
se ven ligeras y azulosas

*El valle de Muzo, en Colombia, es el de las esmeraldas y las
mariposas, y lo llaman un "fenómeno de color"... (nota de la autora).

y se abrazan alborotadas
de ser ellas y de ser otras...

El agrio sol, quémalo-todo,
quema suelos, no Mariposas.
Salen los hombres a cazarlas,
cogen en redes la luz rota,
y de las redes azogadas
van sacando manos gloriosas.

Parece fábula que cuento
y que de ella arda mi boca;
pero el milagro se repite
donde al aire llaman Colombia.
Cuéntalo y cuéntalo me embriago.
Veo azules, hijo, tus ropas,
azul mi aliento, azul mi falda,
y ya no veo más otra cosa...

ANIMALES

Las bestiecitas te rodean
y te balan olfateándote.
De otra tierra y otro reino
llegarían los Animales
que parecen niños perdidos,
niños oscuros que cruzasen.
En sus copos de lana y crines,
o en sus careyes relumbrantes,
los cobrizos y los jaspeados
bajan el mundo a pinturearte.
¡Niño del Arca, jueguen contigo,
y hagan su ronda, los Animales!

FRUTA

En el pasto blanco de sol,
suelto la fruta derramada.

De los Brasiles viene el oro,
en prietos mimbres donde canta:
de los Brasiles, niño mío,
mandan la siesta arracimada.
Extiendo el rollo de la gloria;
rueda el color con la fragancia.

Gateando sigues las frutas,
como niñas que se desbandan,
y son los nísperos fundidos
y las duras piñas tatuadas...

Y todo huele a los Brasiles,
pecho del mundo que lo amamanta,
que, a no tener el agua atlántica,
rebosaría de su falda...

Tócalas, bésalas, voltéalas
y les aprendes todas sus caras.
Soñarás, hijo, que tu madre
tiene facciones abrasadas,

que es la noche canasto negro
y que es frutal la Vía Láctea...

LA PIÑA

Allega y no tengas miedo
de la piña con espadas...
Por vivir en el plantío
su madre la crió armada...

Suena el cuchillo cortando
la amazona degollada
que pierde todo el poder
en el manojo de dagas.

En el plato va cayendo
todo el ruedo de su falda,
falda de tafeta de oro,
cola de reina de Saba.

Cruje en tus dientes molida
la pobre reina mascada
y el jugo corre mis brazos
y la cuchilla de plata...

LA FRESA

La fresa desperdigada
en el tendal de las hojas,
huele antes de cogida;
antes de vista se sonroja...
La fresa, sin ave picada,
que el rocío del cielo moja.

No magulles a la tierna,
no aprietes a la olorosa.
Por el amor de ella abájate,
huélela y dale la boca.

MONTAÑA

Hijo mío, tú subirás
con el ganado la Montaña.
Pero mientras yo te arrebato
y te llevo sobre mi espalda.

Apuñada y negra la vemos,
como mujer enfurruñada.
Vive sola de todo tiempo,
pero nos ama, la Montaña,
y hace señales de subir
tirando gestos con que llama...

Trepamos, hijo, los faldeos,
llenos de robles y de hayas.
Arremolina el viento hierbas
y balancea la Montaña,
y van los brazos de tu madre
abriendo moños que son zarzas...

Mirando al llano, que está ciego,
ya no vemos río ni casa.
Pero tu madre sabe subir,
perder la Tierra, y volver salva.

Pasan las nieblas en trapos rotos;
se borra el mundo cuando pasan.
Subimos tanto que ya no quieres
seguir y todo te sobresalta.
Pero del alto Pico del Toro,
nadie desciende a la llanada.

El sol, lo mismo que el faisán,
de una vez salta la Montaña,
y de una vez baña de oro
a la Tierra que era fantasma,
¡y la enseña gajo por gajo
en redonda fruta mondada!

ALONDRAS

Bajaron a mancha de trigo,
y al acercarnos, voló la banda,
y la alameda se quedó
del azoro como rasgada.

En matorrales parecen fuego;
cuando suben, plata lanzada,
y pasan antes de que pasen,
y te rebanan la alabanza.

Saben no más los pobres ojos
que pasó toda la bandada,
y gritando llaman "¡alondras!"
a lo que sube, se pierde y canta.

Y en este aire malherido
nos han dejado llenos de ansia,
con el asombro y el temblor
a mitad del cuerpo y el alma...

¡Alondras, hijo, nos cruzamos
las alondras, por la llanada!

TRIGO ARGENTINO

El pan está sobre el campo,
como grandes ropas, hijo,
azorado de abundancia,
de dichoso, sin sentido...

Parece el manto de David
o las velas de Carlos Quinto,
parece las Once Mil Vírgenes
que caminasen, hijo mío.

Nos atarantan, nos atajan,
nos enredan los tobillos
los locos perros dorados,
la traílla furiosa del trigo.

Nos dejamos envolver
por el ímpetu vencidos.
¡Todos los hombres del llano
en espigas han caído
batidos y rasguñados,
ciegos de crines y brillos!...

En cuanto la espiga dobla
su cogollo desfallecido;

en cuanto cuaja la harina,
calla-callando, hijo mío,
antes de que toque el suelo
y coma barro sombrío,

y vaya a ser magullado
el cuerpo de Jesucristo,
se levantan a segar
los brazos santafesinos.

El trigo mejor que ámbares
y que brazada de lino,
no ha de quedar en el surco,
lleno de noche y de olvido,
por ser la espalda doblada
del amor de Jesucristo.

En el llano, corta y corta,
lo están levantando en vilo;
en el carro de su suerte
ahora lo suben en vilo;
y nosotros lo alzaremos
así en el pan, así en vilo.

PINAR

Vamos cruzando ahora el bosque
y por tu cara pasan árboles,
y yo me paro y yo te ofrezco;
pero no pueden abajarse.
La noche tiende las criaturas,
menos los pinos, que son constantes,
viejos heridos mana que mana
gomas santas, tarde a la tarde.
Si ellos pudieran te cogerían,
para llevarte de valle en valle,
y pasarías de brazo en brazo,
corriendo, hijo, de padre en padre...

CARRO DEL CIELO

Echa atrás la cara, hijo
y recibe las estrellas.
A la primera mirada,
todas te punzan y hielan,
y después el cielo mece
como cuna que balancean,
y tú te das perdidamente
como cosa que llevan y llevan...

Dios baja para tomarnos
en su vida polvareda;
cae en el cielo estrellado
como una cascada suelta.
Baja, baja en el Carro del Cielo;
va a llegar y nunca llega...

Él viene incesantemente
y a media marcha se refrena,
por amor y miedo de amor
de que nos rompe o que nos ciega.
Mientras viene somos felices
y lloramos cuando se aleja.

Y un día el carro no para,
ya desciende, ya se acerca,
y sientes que toca tu pecho
la rueda viva, la rueda fresca.
Entonces, sube sin miedo
de un solo salto a la rueda,
¡cantando y llorando del gozo
con que te toma y que te lleva!

Fuego

Como la noche ya se vino
y con su raya va a borrarte,
vamos a casa por el camino
de los ganados y del Arcángel.
Ya encendieron en casa el Fuego
que en espinos montados arde.
Es el Fuego que mataría
y sólo sabe solazarte.
Salta en aves rojas y azules;
puede irse y quiere quedarse.
En donde estabas, lo tenías.
Está en mi pecho sin quemarte,
y está en el canto que te canto.
¡Ámalo donde lo encontrases!
En la noche, el frío y la muerte,
bueno es el Fuego para adorarse,
¡y bendito para seguirlo,
hijo mío, de ser Arcángel!

LA CASA

La mesa, hijo, está tendida,
en blancura quieta de nata,
y en cuatro muros azulea,
dando relumbres, la cerámica.
Ésta es la sal, éste el aceite
y al centro el Pan que casi habla.
Oro más lindo que oro del Pan
no está ni en fruta ni en retama,
y da su olor de espiga y horno
una dicha que nunca sacia.
Lo partimos, hijito, juntos,
con dedos puros y palma blanda,
y tú lo miras asombrado
de tierra negra que da flor blanca.

Baja la mano de comer,
que tu madre también la baja.
Los trigos, hijo, son del aire,
y son del sol y de la azada;
pero este Pan "cara de Dios"*
no llega a mesas de las casas.

*En Chile, el pueblo llama al pan "cara de Dios" (nota de la autora).

Y si otros niños no lo tienen,
mejor, mi hijo, no lo tocaras,
y no tomarlo mejor sería
con mano y mano avergonzadas.

Hijo, el Hambre, cara de mueca,
en remolino gira las parvas,
y se buscan y no se encuentran
el pan y el Hambre corcobada.
Para que lo halle, si ahora entra,
el Pan dejemos hasta mañana;
el fuego ardiendo marque la puerta,
que el indio quechua nunca cerraba,
y miremos comer al Hambre,
para dormir con cuerpo y alma.

LA TIERRA

Niño indio, si estás cansado,
tú te acuestas sobre la Tierra,
y lo mismo si estás alegre,
hijo mío, juega con ella...

Se oyen cosas maravillosas
al tambor indio de la Tierra:
se oye el fuego que sube y baja
buscando el cielo, y no sosiega.
Rueda y rueda, se oyen los ríos
en cascadas que no se cuentan.
Se oyen mugir los animales;
se oye el hacha comer la selva.
Se oyen sonar telares indios.
Se oyen trillas, se oyen fiestas.

Donde el indio lo está llamando,
el tambor indio le contesta,
y tañe cerca y tañe lejos,
como el que huye y que regresa...

Todo lo toma, todo lo carga
el lomo santo de la Tierra:
lo que camina, lo que duerme,

lo que retoza y lo que pena;
y lleva vivos y lleva muertos
el tambor indio de la Tierra.

Cuando muera, no llores, hijo:
pecho a pecho ponte con ella
y si sujetas los alientos
como que todo o nada fueras,
tú escucharás subir su brazo
que me tenía y que me entrega
y la madre que estaba rota
tú la verás volver entera.

VI

CASI ESCOLARES [10]

Piececitos

A *doña Isaura Dinator.*

Piececitos de niño,
azulosos de frío,
¡cómo os ven y no os cubren,
Dios mío!

¡Piececitos heridos
por los guijarros todos,
ultrajados de nieves
y lodos!

El hombre ciego ignora
que por donde pasáis,
una flor de luz viva
dejáis;

que allí donde ponéis
la plantita sangrante,
el nardo nace más
fragante.

Sed, puesto que marcháis
por los caminos rectos,
heroicos como sois
perfectos.

Piececitos de niño,
dos joyitas sufrientes,
¡cómo pasan sin veros
las gentes!

Manitas

Manitas de los niños[11],
manitas pedigüeñas,
de los valles del mundo
sois dueñas.

Manitas de los niños
que al grano se tienden,
por vosotros las frutas
se encienden.

Y los panales llenos
de su carga se ofenden.
¡Y los hombres que pasan
no entienden!

Manitas blancas, hechas
como de suave harina,
la espiga por tocaros
se inclina.

Manitas extendidas,
piñón, caracolitos,
bendito quien os colme,
¡bendito!

Benditos los que oyendo
que parecéis un grito,
os devuelven el mundo:
¡benditos!

ECHA LA SIMIENTE

El surco está abierto, y su suave hondor
en el sol parece una cuna ardiente.
¡Oh labriego!, tu obra es grata al Señor:
      ¡echa la simiente!

Nunca más el hambre, negro segador,
entre por tus puertas solapadamente,
para que haya pan, para que haya amor,
      ¡echa la simiente!

La vida conduces, duro sembrador.
Canta himnos donde la esperanza aliente;
bruñido de siesta y de resplandor
      ¡echa la simiente!

El sol te bendice, y acariciador
en los vientos Dios te bate la frente.
Hombre que voleas trigo volador:
      ¡prospere tu rubia simiente!

Nubes blancas

Ovejas blancas, dulces ovejas de vellones
que subieron del mar,
asomáis en mujeres los gestos preguntones
antes de remontar.

Se diría que el cielo o el tiempo consultáseis
con ingenuo temor,
o que, para avanzar, un mandato esperáseis
¿Es que tenéis pastor?

—Sí que tenemos un pastor:
el viento errante es él.
Y una vez los vellones nos trata con amor,
y con furia otra vez.

Y ya nos manda al norte o ya nos manda al sur.
Él manda y hay que ir...
Pero por las praderas del infinito azul,
él sabe conducir.

—Ovejas del vellón nevado,
¿tenéis dueño y señor?
Y si me confiara un día su ganado
¿me tomaríais por pastor?

Claro es que la manada bella
su dueño tiene como allá.
Detrás del último aire y la última estrella,
pastor, dicen que está.

Párate en los pastales, no corras por tu daño,
Abel pastoreador.
¡Se mueren tus ovejas, te quedas, sin rebaño,
Pastor loco, Pastor!

MIENTRAS BAJA LA NIEVE

Ha bajado la nieve, divina criatura,
    el valle a conocer.

Ha bajado la nieve, mejor que las estrellas.
    ¡Mirémosla caer!

Viene calla-callando, cae y cae a las puertas
    y llama sin llamar.

Así llega la Virgen, y así llegan los sueños.
    ¡Mirémosla llegar!

Ella deshace el nido grande que está en los cielos
    y ella lo hace volar.

Plumas caen al valle, plumas a la llanada,
    plumas al olivar.

Tal vez rompió, cayendo y cayendo, el mensaje
    de Dios Nuestro Señor.

Tal vez era su manto, tal vez era su imagen,
    tal vez no más su amor.

PROMESAS A LAS ESTRELLAS

Ojitos de las estrellas
abiertos en un oscuro
terciopelo: de lo alto,
          ¿me veis puro?

Ojitos de las estrellas,
prendidos en el sereno
cielo, decid; desde arriba,
          ¿me veis bueno?

Ojitos de las estrellas,
de pestañitas inquietas,
¿por qué sois azules, rojos
          y violetas?

Ojitos de la pupila
curiosa y trasnochadora,
¿por qué os borra con sus rosas
          la aurora?

Ojitos, salpicaduras
de lágrimas o rocío,
cuando tembláis allá arriba,
          ¿es de frío?

Ojitos de las estrellas
fijo en una y otra os juro
que me habéis de mirar siempre,
            siempre puro.

CARICIA

Madre, madre, tú me besas
pero yo te beso más
y el enjambre de mis besos
no te deja ni mirar...

Si la abeja se entra al lirio,
no se siente su aletear.
Cuando escondes a tu hijito
ni se le oye respirar...

Yo te miro, yo te miro
sin cansarme de mirar,
y qué lindo niño veo
a tus ojos asomar...

El estanque copia todo
lo que tú mirando estás;
pero tú en las *niñas* tienes
a tu hijo y nada más.

Los ojitos que me diste
me los tengo de gastar
en seguirte por los valles,
por el cielo y por el mar...

Dulzura

Madrecita mía,
madrecita tierna,
déjame decirte
dulzuras extremas.

Es tuyo mi cuerpo
que juntaste en ramo;
deja revolverlo
sobre tu regazo.

Juega tú a ser hoja
y yo a ser rocío;
y en tus brazos locos
tenme suspendido.

Madrecita mía,
todito mi mundo,
déjame decirte
los cariños sumos.

OBRERITO

Madre, cuando sea grande
¡ay, qué mozo el que tendrás!
Te levantaré en mis brazos,
como el zonda* al herbazal.

O te acostaré en las parvas
o te cargaré hasta el mar
o te subiré las cuestas
o te dejaré al umbral.

Y ¡qué casal ha de hacerte
tu niñito, tu titán,
y qué sombra tan amante
sus aleros van a dar!

Yo te regaré una huerta
y tu falda he de cansar
con las frutas y las frutas
que son mil y que son más.

O mejor te haré tapices
con la juncia de trenzar;

*Viento cálido de la región del norte (nota de la autora).

188

o mejor tendré un molino
que te hable haciendo el pan.

Cuenta, cuenta las ventanas
y las puertas del casal;
cuenta, cuenta maravillas
si las puedes tú contar...

PLANTANDO EL ÁRBOL

A la Tierra despertamos
de su sueño de castor
y en los brazos le dejamos
el alerce danzador.

Cantemos mientras el tallo
toca el seno maternal.
Bautismo de luz da un rayo
y es el aire su pañal.

Nombre no pide y no quiere;
se lo dan con el nacer.
Con su nombre vive y muere,
y a otro lo pasa al caer.

Lo entregaremos ahora
a la buena Agua y a vos,
Sol que cría y Sol que dora
y a la Tierra hija de Dios.

El Señor le hará tan bueno
como un buen hombre o mejor:
en la tempestad sereno,
y a la siesta amparador.

Yo lo dejo en pie. Ya es mío
y le juro protección
cuándo el viento, cuándo el frío,
cuándo el hombre matador*.

*Los "cuando" corresponden a viejos giros idiomáticos del español
(nota de la autora).

PLEGARIA POR EL NIDO

¡Dulce Señor, por un hermano pido
indefenso y hermoso: por el nido!

Florece en su plumilla el trino;
ensaya en su almohadita el vuelo.
¡Y el canto dicen que es divino
y el ala cosa de los cielos!

Dulce tu brisa sea al mecerlo,
mansa tu luna al platearlo,
fuerte tu rama al sostenerlo,
corto el rocío al alcanzarlo.

De su conchita desmañada
tejida con hilacha rubia,
desvía el vidrio de la helada
y las guedejas de la lluvia;

desvía el viento de ala brusca
que lo dispersa a su caricia
y la mirada que lo busca,
toda encendida de codicia...

Tú que me afeas los martirios
dados a tus criaturas finas:
la cabezuela de los lirios
y las pequeñas clavelinas,

guarda su forma con cariño
y caliéntelo tu pasión.
Tirita al viento como un niño
y se parece al corazón.

Doña Primavera

Doña Primavera
viste que es primor,
viste en limonero
y en naranjo en flor.

Lleva por sandalias
unas anchas hojas,
y por caravana
unas fucsias rojas.

Salid a encontrarla
por esos caminos.
¡Va loca de soles
y loca de trinos!

Doña Primavera
de aliento fecundo,
se ríe de todas
las penas del mundo...

No cree al que le hable
de las vidas ruines.
¿Cómo va a toparlas
entre los jazmines?

¿Cómo va a encontrarlas
junto de las fuentes
de espejos dorados
y cantos ardientes?

Da la tierra enferma
en las pardas grietas,
enciende rosales
de rojas piruetas.

Pone sus encajes,
prende sus verduras,
en la piedra triste
de las sepulturas...

Doña Primavera
de manos gloriosas,
haz que por la vida
derramemos rosas:

Rosas de alegría,
rosas de perdón,
rosas de cariño,
y de exultación.

VERANO

Verano, verano rey,
del abrazo incandescente,
sé para los segadores
¡dueño de hornos! más clemente.

Abajados y doblados
sobre sus pobres espigas,
ya desfallecen. ¡Tú manda
un viento de alas amigas!

Verano, la tierra abrasa:
llama tu sol allá arriba;
llama tu granada abierta;
y el segador, llama viva.

Las vides están cansadas
del producir abundoso
y el río corre en huida
de tu castigo ardoroso.

Mayoral rojo, verano,
el de los hornos ardientes,
no te sorbas la frescura
de las frutas y las fuentes...

¡Caporal, echa un pañuelo
de nube y nube tendidas,
sobre la vendimiadora,
de cara y manos ardidas!

EL ÁNGEL GUARDIÁN

Es verdad, no es un cuento;
hay un Ángel Guardián
que te toma y te lleva como el viento
y con los niños va por donde van.

Tiene cabellos suaves
que van en la venteada,
ojos dulces y graves
que te sosiegan con una mirada
y matan miedos dando claridad.
(no es un cuento, es verdad.)

Él tiene cuerpo, manos y pies de alas
y las seis alas vuelan o resbalan.
Las seis te llevan de su aire batido
y lo mismo te llevan de dormido.

Hace más dulce la pulpa madura
que entre tus labios golosos estrujas;
rompe a la nuez su taimada envoltura
y es quien te libra de gnomos y brujas.

Es quien te ayuda a que cortes las rosas,
que están sentadas en trampas de espinas,

el que te pasa las aguas mañosas
y el que te sube las cuestas más pinas.

Y aunque camine contigo apareado,
como la guinda y la guinda bermeja,
cuando su seña te pone el pecado
recoge tu alma y el cuerpo te deja.

Es verdad, no es un cuento;
hay un Ángel Guardián
que te toma y te lleva como el viento
y con los niños va por donde van.

A NOEL

¡Noel, el de la noche del prodigio,
Noel de barbas caudalosas,
Noel de las sorpresas delicadas
y las pisadas sigilosas!

Esta noche te dejo mi calzado
colgado en los balcones;
antes que hayas pasado por mi casa
no agotes los bolsones.

Noel, Noel, vas a encontrar mojadas
mis medias de rocío,
espiando con ojos picarones
tus barbazas de río...

Sacude el llanto y deja cada una
tiese, dura y llenita,
con el anillo de la Cenicienta
y el lobo de Caperucita...

Y no olvides a Marta. También deja
su zapatito abierto.
Es mi vecina, y yo la cuido, desde
que su mamita ha muerto.

¡Noel, viejo Noel, de las manazas
rebosadas de dones,
de los ojitos pícaros y azules
y la barba en vellones!...

Himno de las Escuelas
"Gabriela Mistral"

¡Oh, Creador, bajo tu luz cantamos,
porque otra vez nos vuelves la esperanza!
¡Como los surcos de la tierra alzamos
la exhalación de nuestras alabanzas!

Gracias a Ti por el glorioso día
en el que van a erguirse las acciones;
por la alborada llena de alegría
que baja al valle y a los corazones.

Se alcen las manos, las que Tú tejiste,
frescas y vivas sobre las faenas.
Se alcen los brazos que con luz heriste
en un temblor dorado de colmenas.

Somos planteles de hijas, todavía;
haznos el alma recta y poderosa
para ser dignas en la hora y día
en que seremos el plantel de esposas.

Venos crear a tu honda semejanza,
con voluntad insigne de hermosura;
trenzar, trenzar, alegres de confianza
el lino blanco con la lana pura.

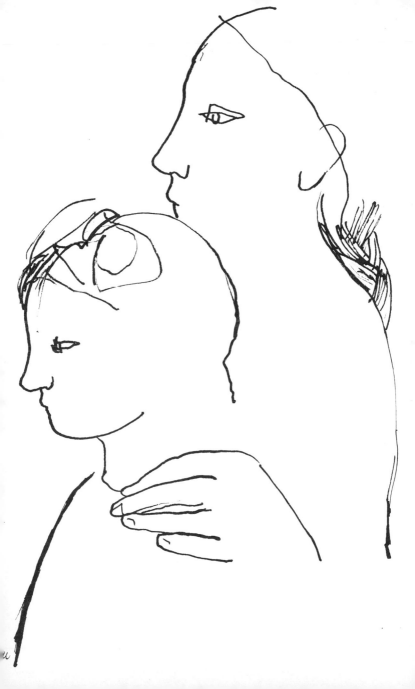

Mira cortar el pan de las espigas;
poner los frutos en la clara mesa;
tejer la juncia que nos es amiga;
¡crear, crear, mirando a tu belleza!

¡Oh, Creador de manos soberanas,
sube el futuro en la canción ansiosa,
que ahora somos el plantel de hermanas,
pero seremos el plantel de esposas!

HIMNO AL ÁRBOL

A don José Vasconcelos.

Árbol hermano, que clavado
por garfios pardos en el suelo,
la clara frente has elevado
en una intensa sed de cielo:

hazme piadoso hacia la escoria
de cuyos limos me mantengo,
sin que se duerma la memoria
del país azul de donde vengo.

Árbol que anuncias al viandante
la suavidad de tu presencia
con tu amplia sombra refrescante
y con el nimbo de tu esencia:

haz que revele mi presencia,
en la pradera de la vida,
mi suave y cálida influencia
de criatura bendecida.

Árbol diez veces productor:
el de la poma sonrosada,
el del madero constructor,

el de la brisa perfumada,
el del follaje amparador;

el de las gomas suavizantes
y las resinas milagrosas,
pleno de brazos agobiantes
y de gargantas melodiosas:

hazme en el dar un opulento.
¡para igualarte en lo fecundo,
el corazón y el pensamiento
se me hagan vastos como el mundo!

Y todas las actividades
no lleguen nunca a fatigarme:
¡las magnas prodigalidades
salgan de mí sin agotarme!

Árbol donde es tan sosegada
la pulsación del existir,
y ves mis fuerzas la agitada
fiebre del mundo consumir:

hazme sereno, hazme sereno,
de la viril serenidad
que dio a los mármoles helenos
su soplo de divinidad.

Árbol que no eres otra cosa
que dulce entraña de mujer,
pues cada rama mece airosa
en cada leve nido un ser:

dame un follaje vasto y denso,
tanto como han de precisar
los que en el bosque humano, inmenso,
rama no hallaron para hogar.

Árbol que donde quiera aliente
tu cuerpo lleno de vigor,
levantarás eternamente
el mismo gesto amparador:

haz que a través de todo estado
—niñez, vejez, placer, dolor—
levante mi alma un invariado
y universal gesto de amor.

EL HIMNO COTIDIANO

A la señorita Virginia Trewhela.

En este nuevo día
que me concedes, ¡oh Señor!,
dame mi parte de alegría
y haz que consiga ser mejor.

Dame Tú el don de la salud,
la fe, el ardor, la intrepidez,
séquito de la juventud;
y la cosecha de verdad,
la reflexión, la sensatez,
séquito de la ancianidad.

Dichoso yo si, al fin del día,
un odio menos llevo en mí;
si una luz más mis pasos guía
y si un error más yo extinguí.

Y si por la rudeza mía
nadie sus lágrimas vertió,
y si alguien tuvo la alegría
que mi ternura le ofreció.

Que cada tumbo en el sendero
me vaya haciendo conocer

cada pedrusco traicionero
que mi ojo ruin no supo ver.

Y más potente me incorpore,
sin protestar, sin blasfemar.
Y mi ilusión la senda dore,
y mi ilusión me la haga amar.

Que dé la suma de bondad,
de actividades y de amor
que a cada ser se manda dar:
suma de esencias a la flor
y de albas nubes a la mar.

Y que, por fin, mi siglo engreído
en su grandeza material,
no me deslumbre hasta el olvido
de que soy barro y soy mortal.

Ame a los seres este día;
a todo trance halle la luz.
Ame mi gozo y mi agonía:
¡ame la prueba de mi cruz!

Hablando al padre

Padre: has de oír
este decir
que se me abre en los labios como flor.
Te llamaré
Padre, porque
la palabra me sabe a más amor.

Tuya me sé,
pues que miré
en mi carne prendido tu fulgor.
Me has de ayudar
a caminar,
sin deshojar mi rosa de esplendor.

Me has de ayudar
a alimentar
como una llama azul mi juventud,
sin material
basto y carnal:
¡con olorosos leños de virtud!

Por cuanto soy
gracias te doy:
porque me abren los cielos su joyel,

me canta el mar
y echa el pomar
para mis labios en sus pomas miel.

Porque me das,
Padre, en la faz
la gracia de la nieve recibir
y por el ver,
la tarde arder:
¡por el encantamiento de existir!

Por el tener
más que otro ser
capacidad de amor y de emoción,
y el anhelar
y el alcanzar,
ir poniendo en la vida perfección.

Padre, para ir
por el vivir,
dame tu mano suave y tu amistad,
pues, te diré,
sola no sé
ir rectamente hacia tu claridad.

Dame el saber
de cada ser
a la puerta llamar con suavidad,

llevarle un don,
mi corazón,
¡y nevarle de lirios su heredad!

Dame el pensar
en Ti al rodar
herida en medio del camino. Así
no llamaré,
recordaré
el vendador sutil que alienta en Ti.

Tras el vivir,
dame el dormir
con los que aquí anudaste a mi querer.
Dé tu arrullar
hondo el soñar.
¡Hogar dentro de Ti nos has de hacer!

ROMANCE DE NOCHEBUENA

Vamos a buscar
dónde nació el Niño:
nació en todo el mundo,
ciudades, caminos...

Tal vez caminando
lo hallemos dormido
en la era más alta
debajo del trigo...

O está en estas horas
llorando caidito
en la mancha espesa
de un montón de lirios.

A Belén nos vamos.
Jesús no ha querido
estar derramado
por campo y caminos.

Su madre es María,
pero ha consentido
que esta noche todos
le mezan al Niño.

Lo tiene Lucía,
lo mece Francisco
y mama en el pecho
de Juana, suavísimo.

Vamos a buscarlo
por esos caminos:
¡todos en pastores
somos convertidos!

Gritando la nueva
los cerros subimos
¡y vivo parece
de gente el camino!

Jesús ha llegado
y todos dormimos
esta noche sobre
su pecho ceñidos.

Canción del maizal

I

El maizal canta en el viento
verde, verde de esperanza.
Ha crecido en treinta días:
su rumor es alabanza.

Llega, llega al horizonte,
sobre la meseta afable,
y en el viento ríe entero
con su risa innumerable.

II

El maizal gime en el viento
para trojes ya maduro;
se quemaron sus cabellos
y se abrió su estuche duro.

Y su pobre manto seco
se le llena de gemidos:
el maizal gime en el viento
con su manto desceñido.

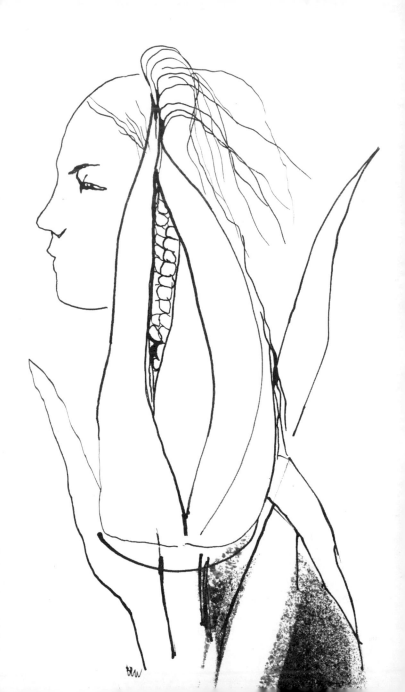

III

Las mazorcas del maíz
a niñitas se parecen:
diez semanas en los tallos
bien prendidas que se mecen.

Tienen un vellito de oro
como de recién nacido
y unas hojas maternales
que les celan el rocío.

Y debajo de la vaina,
como niños escondidos,
con sus dos mil dientes de oro
ríen, ríen sin sentido...

Las mazorcas del maíz
a niñitas se parecen:
en las cañas maternales
bien prendidas que se mecen.

Él descansa en cada troje
con silencio de dormido;
va soñando, va soñando
un maizal recién nacido.

VII

CUENTOS

LA MADRE GRANADA

(Plato de cerámica de Chapelle-aux-Pots.)

Contaré una historia en mayólica
rojo-púrpura y rojo-encarnada,
en mayólica mía, la historia
de Madre Granada.

Madre Granada estaba vieja,
requemada como un panecillo;
mas la consolaba su real corona,
larga codicia del membrillo.

Su profunda casa tenía partida
por delgadas lacas
en naves donde andan los hijos
vestidos de rojo-escarlata.

Con pasión de rojeces, les puso
la misma casulla encarnada.
Ni nombre les dio ni los cuenta nunca,
para no cansarse, la Madre Granada.

Dejó abierta la puerta,
la Congestionada,
soltó el puño ceñido,
de sostener las mansiones, cansada.

Y se fueron los hijos
de la Empurpurada.
Quedóse durmiendo y vacía
la Madre Granada...

Iban como las hormigas,
estirándose en ovillos,
iguales, iguales, iguales,
río escarlata de monaguillos.

A la Catedral solemne llegaron,
y abriendo la gran puerta herrada,
entraron como langostinos
los hijos de Madre Granada.

En la Catedral eran tantas naves
como cámaras en las granadas,
y los monaguillos iban y venían
en olas y olas encontradas...

Un cardenal rojo decía el oficio
con la espalda vuelta de los armadillos.
A una voz se inclinaba o se alzaba
el millón de monaguillos.

Los miraban los rojos vitrales,
desde lo alto, con viva mirada,
como treinta faisanes de roja
pechuga asombrada.

Las campanas se echaron a vuelo;
despertaron todo el vallecillo.
Sonaban en rojo y granate,
como cuando se quema el castillo.

Al escándalo de los bronces
fueron saliendo en desbandada
y en avenida bajaron la puerta
que parecía ensangrentada.

La ciudad se levanta tarde
y la pobre no sabe nada.
Van los hijos dejando las calles;
entran al campo a risotadas...

Llegan a su tronco, suben en silencio,
entran al estuche de Madre Granada,
y tan callados se quedan en ella
como la piedra de la Kaaba.

Madre Granada despertóse llena
de su millón rojo y sencillo;
se balanceó por estar segura;
pulsó su pesado bolsillo.

Y como iba contando y contando,
de incredulidad, la Madre Granada,
estallaron en risa los hijos
y ella se partió de la carcajada...

La granada partida en el huerto,
era toda una fiesta incendiada.
La cortamos guardando sus fueros
a la Coronada...

La sentamos en un plato blanco,
que asustó su rojez insensata.
Me ha contado su historia, que pongo
en rojo-escarlata...

El pino de piñas

El alto pino que no acaba
y que resuena como un río,
desde el cogollo a lo sombrío,
sus puñitos balanceaba.

Unos puñitos olorosos,
apretados de su secreto,
y al negro pino recoleto
tanta piña le daba gozo.

Bajo el pino que la cubría,
Madrecita Burla habitaba
y la vieja feliz criaba
enanito que no se veía.

Del tamaño de la lenteja,
y que nunca más le crecía
y en su bolsillo se dormía
ronroneando como abeja.

Cuando a la aldea iba la vieja,
de cascabel se lo ponía,
y lo guardaba, si llovía,
dentro del pliegue de su oreja...

O como rama con madroño,
con su vaivén de trotecito,
le cosquilleaba, el colgadito,
o se soltaba de su moño...

El enano miraba pinos
que se iban y se venían,
por saberse lo que cogían
en sus cien puñitos endrinos.

Y una vez que la Madrecita
lo dejó por adormilado,
se subió al empingorotado
y se encontró cosa bendita.

Topando la piña primera,
entró sin doblar la cabeza,
y gritó, loco de sorpresa,
al encontrar iglesia entera.

Oyó una música lejana;
vio arder la cera muy contrita,
y con su mano de arañita,
tomó temblando agua cristiana.

Y a la pila de nuez de plata,
vino un obispo que era de oro,
y bautizó al enano moro
mojando su nuca de rata.

Se abrió una puerta pequeñita,
entró una niña más pequeña,
y se allegó como una seña
a saltos de catarinita*.

Vio que a su pecho no llegaba
y de confusa estaba roja,
y se dobló como una hoja,
porque era que le saludaba.

En el altar, de gran tesoro,
el obispo tieso y atónito
bendijo los novios de acónito
y soltó música del coro...

La catedral dio un gran crujido
y se partió en castaña añeja,
y lanzó el pino su pareja
sin daño, como cae el nido.

La Madre Burla dormitaba
tendida al sol como una almeja,
y al despertar tocó en su ceja
una cosa que era doblada...

*Nombre que se da en México a la "Mariquita" chilena (nota de la autora).

Y trepaditos a su oído
los dos le dieron testimonio
de bautizo y de matrimonio,
y ella lloró del sucedido.

Y como los años que vinieron
les nació un niño y una niña;
cada uno subió a una piña
en donde bautizados fueron.

Y cuenta boca contadora
que aumentó la enana raza
igual que cunde la mostaza
y que prende la zarzamora...

CAPERUCITA ROJA

Caperucita Roja visitará a la abuela
que en el poblado próximo sufre de extraño mal.
Caperucita Roja, la de los rizos rubios,
tiene el corazoncito tierno como un panal.

A las primeras luces ya se ha puesto en camino
y va cruzando el bosque con un pasito audaz.
Sale al paso Maese Lobo, de ojos diabólicos.
—"Caperucita Roja, cuéntame a dónde vas."

Caperucita es cándida como los lirios blancos.
—"Abuelita ha enfermado. Le llevo aquí un pastel
y un pucherito suave, que se derrama en jugo.
¿Sabes del pueblo próximo? Vive en la entrada de él."

Y ahora, por el bosque discurriendo encantada,
recoge bayas rojas, corta ramas en flor,
y se enamora de unas mariposas pintadas
que la hacen olvidarse del viaje del Traidor...

El Lobo fabuloso de blanqueados dientes,
ha pasado ya el bosque, el molino, el alcor,
y golpea en la plácida puerta de la abuelita,
que le abre. (A la niña ha anunciado el Traidor.)

Ha tres días la bestia no sabe de bocado.
¡Pobre abuelita inválida, quién la va a defender!
...Se la comió riendo toda y pausadamente
y se puso en seguida sus ropas de mujer.

Tocan dedos menudos a la entornada puerta.
De la arrugada cama dice el Lobo: —"¿Quién va?"
La voz es ronca. —"Pero la abuelita está enferma",
la niña ingenua explica. —"De parte de mamá."

Caperucita ha entrado, olorosa de bayas.
Le tiemblan en la mano gajos de salvia en flor.
—"Deja los pastelitos; ven a entibiarme el lecho."
Caperucita cede al reclamo de amor.

De entre la cofia salen las orejas monstruosas.
—"¿Por qué tan largas?", dice la niña con candor.
Y el velludo engañoso, abrazando a la niña:
—"¿Para qué son tan largas? Para oírte mejor."

El cuerpecito tierno le dilata los ojos.
El terror en la niña los dilata también.
—"Abuelita, decidme: ¿Por qué esos grandes ojos?"
—"Corazoncito mío, para mirarte bien..."

Y el viejo Lobo ríe, y entre la boca negra
tienen los dientes blancos un terrible fulgor.

—"Abuelita, decidme: ¿Por qué esos grandes
dientes?"
—Corazoncito, para devorarte mejor..."

Ha arrollado la bestia, bajo sus pelos ásperos,
el cuerpecito trémulo, suave como un vellón;
y ha molido las carnes, y ha molido los huesos,
y ha exprimido como una cereza el corazón...

$A\ N\ E\ J\ O^{12}$

Ronda de los altos
pinares

La alta ronda de los pinares
nunca se cansa de girar.
Arriba, en la montaña, santa,
tocando las nubes está.

Ella subió en remota noche,
la montaña blanca y mortal,
subió hasta colgarse en los cielos,
y no ha vuelto nunca a bajar.

Danzan arriba, sin descanso,
en cielo claro o tempestad;
el canto no se les escucha,
pero no cesan de cantar.

Otros pinares van subiendo
las cuestas en obscuridad.
¡Ay, jadean en los repechos
y se deshace su collar;
pero siguen subiendo siempre,
apretados de voluntad!

Arriba es la luz tan insigne
que el cuerpo se hace claridad

y en el aire fino comienza
lo leve de la eternidad.

Remota ronda de pinares
que no se cansa de girar.
Arriba, en la montaña santa,
llamando siempre, siempre está.

SOÑOLIENTA
(Canción de cuna)

—Duerme, duerme; ya se durmieron
los de las otras que cantaban;
el de la Rana, el del Mochuelo,
el de la Liebre, el de la Cabra.

Una sola sigue cantando
y se le seca la garganta,
por esos ojos tan abiertos
como la puerta sin bisagra.

Duérmete luego, y yo me cuente
a madre Urraca, a madre Cabra,
que tú no sabes cuándo es noche
ni cuándo pinta la mañana.

Duerme la Rana en su charquito;
en su cerco duerme la Cabra,
y yo no duermo por esos ojos
destapados como la jarra.

Duérmete para que no quede
tu pobre madre avergonzada
de que su niña se le duerme
después del Sapo y de la Urraca.

Y mañana tenga los ojos
rojos y andando trastrocada
rompa la loza, queme la sopa
y de revés lleve la falda.

O que de sueño y de cansancio
la madre tuya se deshaga,
cuando mañana estén enteras
la madre Urraca, la madre Cabra.

Y que no me halles en el lecho
y que me llames asustada,
cuando lleguen para vestirte
la madre Liebre, la madre Cabra.

GOLONDRINAS DEL YODO

Del Desierto de Atacama,
moradas de amanecer,
las golondrinas del yodo
suben todas de una vez.

Vuelan espejos andinos,
ciegas de su ciega Fe,
una por cada hombre herido
y el otro que va a caer.

Vuelan dormidas tres mares
sin coger alga ni pez
y no paran en las Islas
ni por juegos ni por sed.

Oyen gritos de penínsulas
que no las hacen volver
y en duna africana posan
con su abrasada merced.

Entran por los hospitales
en bandada y en mudez,
abren las lonas embreadas
y van, mansas, a caer

en cofias, manos y vendas,
plegadas como el Amén.
Tanteando llegan a Lázaro
y hallan su pecho y sus pies.

Los soldados malheridos
en su capullo candiel
se alzan desde su resuello
de algodones, para ver
las golondrinas que cosen
y cosen sin escoger
piel australiana, brazos galeses:
carne acostada sobre Argel.

Ellas se hunden las llagas
sin volver a aparecer,
ellas no ven al que salvan
y el salvado no las ve,
golondrinas requemadas
de su amor como Raquel,
ocres al rasar la llaga,
sombrías al parecer.

En fantasmas acongojado
llego al campo del inglés.
Cuento soldados heridos,
las cuento a ellas también.
Yo las exprimo y las cargo

como el pescador la red,
y las sepulto en las dunas
a la luz de su rojez,
en un pespunte y una hebra
de yodo y de sangre fiel.

NOTAS Y REFERENCIAS

1. Varios de los poemas incluidos en esta sección —*Meciendo, Hallazgo, Corderito, Yo no tengo soledad, Apegado a mí, La noche, Me tuviste, Encantamiento, La madre triste, Suavidades, Canción amarga, Rocío, Mi canción*— fueron originalmente escritos como textos en prosa. Con el título de *Canciones de cuna* se publicaron en la parte prosística de *Desolación* (Editorial Nascimento, Santiago, 1923, pp. 259-268).

2. En relación con el término *Arrorró* es interesante señalar lo que dice el investigador chileno Oreste Plath: "En Chile se usan los términos *arrurrupata, arrorró, nana* y *canción de cuna*. La expresión *a la rurru* podría ser una forma onomatopéyica del ruido de la cuna, pero en el diccionario se encuentra la expresión *rorro*, que significa niño pequeñito, lo que hace suponer que *rurru* es una adulteración de *rorro*. Muchos se inclinan a creer que la palabra *a la rurru* debe provenir de la española *a la rorro*, que se encuentra en varias coplas de cuna española. *Arrurrupatas, arrorrós, nanas* y *canciones de cunas*, vienen cantándose en Chile desde las primeras épocas de la colonia. De ahí que las *arrurrupatas* chilenas se identifiquen con las de España y algunos pueblos de América, derivándose entonces de su tronco común, el español". (*Folklore chileno*, Ediciones Platur, Santiago, 1962, pp. 358-359).

3. En *Poesías Completas* (Madrid, Aguilar, segunda edición, 1962) este poema concluye con la estrofa inicial: *La marea del sueño / comienza a llegar / desde el Santo Polo / y el último mar*. Dicha estrofilla no aparece en la versión argentina de *Ternura* (1945), que hemos seguido fundamentalmente aquí. Nos parece correcta, por el ritmo reiterativo del poema, la versión madrileña.

4. De estos *arrullos*, o cantarcillos para hacer dormir a los niños, Gabriela Mistral dirá: *Sigo escribiendo "arrullos" con largas pausas; tal vez me moriré haciéndome dormir, vuelta madre de mí misma, como las viejas que desvarían con los ojos fijos en sus rodillas vanas, o como el niño japonés que quería dormir su propia canción antes de dormirse él*. (Colofón con cara de excusa, en *Ternura*, Buenos Aires, Espasa-Calpe, 1945).

5. *Su polvo hizo nuestras mejillas, / su río nuestro reír*. En *Poesías Completas* (ya citadas en la nota 3) este segundo verso dice: *su río, nuestro reír*. Creemos que el reemplazo de la coma (,) por la expresión verbal *hizo*, altera no sólo la métrica y el ritmo interno del poema, sino también el acostumbrado tratamiento del lenguaje poético de Gabriela Mistral, no siempre muy apegado a normas y exigencias gramaticales. La versión de Margaret Bates adolece también de otros errores: cambiar, por ejemplo, en la tercera estrofa del poema *Obrerito*, los signos de exclamación (¡!) por los de interrogación (¿?), perdiendo así el sentido imperativo que el texto tiene. O hacer plural la singularidad del último verso del poema *El Aire: y a todos deja, por bueno* (s), *el Aire*. En otros casos el uso real y arcaico del

verso mistraliano (*me los tengo de gastar*, en la quinta estrofa del poema *Caricia*) se cambia por la nada sugestiva convencionalidad de: "me los tengo *que* gastar". No considero algunas erratas tipográficas, sin duda (*tierra* por *tierna*, en el poema *La fresa*; o *vida* por *viva* en la segunda estrofa de *Carro del cielo*. Hago estas observaciones porque *Poesías Completas*, desde 1962, vienen circulando como ediciones definitivas de las obras de la autora.

6. En la edición primera de *Ternura* (1924) esta ronda se llamaba *La guerra*, y escrita en un momento de ensombrecimiento del mundo después del conflicto bélico (1914-1919). Con algunas variantes (*Los niños se fueron al campo, / la roja amapola a cortar*, cambiará por *Los niños se fueron al campo / la piña de pino a cortar*) el poema tomará el nombre —a partir de la segunda edición (1945)— de *Ronda de la paz*. En sus afanes pacifistas, Gabriela Mistral dedica su ronda nada menos que al filósofo y humanista chileno Enrique Molina Garmendia (1871-1959), fundador y primer rector de la Universidad de Concepción.

7. Tanto *Ronda argentina* como *Duerme, duerme, niño cristiano*, *Ronda de los aromas*, *Ronda cubana* y *Ronda del fuego* pertenecen originalmente a *Lagar* (1954, sección *Rondas*). Margaret Bates las incorpora a la ya citada edición de *Poesías Completas*. Se cumple así con el permanente interés que tuvo Gabriela Mistral por su llamada "obra menuda" y el permanente mirar y reordenar su siempre *Ternura*.

8. Las mismas *Jugarretas*, de *Ternura*, son las *Albricias*,

245

de *Tala* (1938) y que Gabriela Mistral refiere en unas notas: *En el juego de las "Albricias" que yo jugaba en mis niñeces del valle de Elqui, sea porque los chilenos nos evaporamos la s final, sea porque las albricias eran siempre cosa en singular —un objeto escondido que se buscaba— la palabra se volvía una especie de sustantivo colectivo. Tengo aún en el oído los gritos de las buscadoras y nunca más he dicho la preciosa palabra sino como la oí entonces a mis camaradas de juego.* (Notas a *Tala*, Editorial Sur, Buenos Aires, 1938, p. 279).

9. Con el título *La Cuenta-Mundo* varios de estos interesantísimos poemas (*El Aire, La Luz, El Agua, Montaña, Fuego, La Casa, La Tierra*) integrarían la edición argentina de *Tala* (1938), desapareciendo en publicaciones posteriores e incorporándose definitivamente a *Ternura*.

10. Tanto en *Desolación* (1922) como en *Ternura* (1924) esta sección llevaba simplemente el nombre genérico de *Infantiles*. Sólo a partir de 1945 pasará a llamarse *Casi escolares*, haciendo así del ánimo infantil un referente de proyección más total y más amplio. En *Colofón con cara de excusa*, Gabriela Mistral dice: *Cuando leo mis poesías más o menos escolares, y más aún cuando las oigo en boca de niño, siento una vergüenza no literaria sino una quemazón real en la cara. Y me pongo, como los pecadores atribulados, a enmendar algo, siquiera algo: dureza del verso, presunción conceptual, pedagogía catequista, empalagosa parlería. Esta ingenuidad un poco grotesca de corregir unos versos que andan en boca de tantos, me durará hasta el fin.*

11. Repárese en el vocablo *manitas* que Gabriela Mistral usa con tanta propiedad. No dice ella "manitos de los niños", sino *Manitas de...*, siguiendo y conservando el diminutivo femenino de Manos (las manos, las manitas). Y no sólo por una referencia lingüística, sino por conservar el habla arcaica y tradicional de sus antepasados valle Elqui adentro. También en México el uso del vocablo *manitas* es corriente.

12. La *Ronda de los altos pinares* ("El Mercurio", Santiago, 14 de diciembre, 1926, p. 3), la canción de cuna *Soñolienta* ("Atenea", Universidad de Concepción, Año IX, Tomo XXII, N° 91-92, septiembre-octubre, 1932, pp. 10-12); y el poema *Golondrinas del yodo* ("La Nación", Buenos Aires, diciembre, 1943) no han sido recogidos en libro alguno de Gabriela Mistral. Tienen, en consecuencia, el carácter de inéditos. Por sus temas, estructuras y tratamientos poéticos, los incluimos —y a manera de anejo, en *Ternura*.

J.Q.